U0789687

# 集韻

四

五福五代堂古稀天子寶

八徵耄念之寶

太上皇帝之寶

# 集韻卷之四

翰林學士兼侍讀學士玉清昭應宮判官中散大夫尚書左司郎中知制誥判太常禮院群牧使上柱國濟陽郡開國侯食邑一千三百戶賜紫金魚袋臣丁度等奉

敕脩定

## 平聲四

庚第十二 居行切與耕清通　耕第十三 古莖切

清第十四 親盈切　青第十五 倉經切獨用

蒸第十六 諸仍切與登通　登第十七 都騰切

尤第十八 于求切與侯幽通　侯第十九 胡溝切

幽第二十 於虯切　侵第二十一 千尋切獨用

覃第二十二 徒南切與談通　談第二十三 徒甘切

鹽第二十四 余廉切與沾嚴通　沾第二十五 他兼切

嚴第二十六 魚杴切　咸第二十七 胡讒切與銜凡通

銜第二十八 乎監切　凡第二十九 符咸切

十二○庚 居行切說文位西方象秋時萬物庚庚有實也一日道也十日名也亦姓文二十二 賡 續也 更 說文改也一曰歷也 秔稉粳 說文稻屬或作稉粳 鬻䰜䰝羹䑎 說文五味盉羹也引詩亦有和羹或作䰜䰝羹亦从肉 也 償 鶊鶥 鶬鶊鳥名黧黃也或从隹 郠 邑名在琅邪 逰踁 兔逕或从足 莄 艸名 埂 秦晉謂坑為埂 浭 水名 出北平 亢 闕人名老聃弟子有亢桑子 㹨 彼㹨犬名 邟 縣名在潁川 ○阬坑 丘庚切說文閬也或从土从石文七 硎 石也 硄 硄硠石聲 劥 劥勈有力 妔 美女也 亢 跡也 ○亨享亯亯 虛庚切嘉之會也或作享古作亯亯文九 湞 水名 脝 膨脝腹滿皃 悙 憉悙自矜健皃 𤸪 𤸰𤸪脹也 哼 啍哼愚怯皃 ○行 何庚切說文人之步趨也 文十四 衡奧 說文牛觸橫大木著其角也引詩設其楅衡一曰橫一木為門也一曰平也又姓亦州名古作奧 洐 說文溝水行也 珩

說文佩上玉也所以節行止 羹膹肉湆也亦从肉 胻說文脛耑也 䯒牛脊後骨 桁屋横木一曰葬具 笐方言笐篖

籧篨直文者 蘅杜蘅香艸 鴴鳥名鶖黃也 衡角長皃 ○横衡胡盲切說文闌木一曰東西曰縱南北曰横或作衡文二

十二 鑅鍠鐘聲或从皇 煌火光 䊗字林横褡小被也 黌學舍通作横 揘揘畢撞杪也 蟥藤蠹可用織

喤諻也怒也一曰小兒泣聲 諻方言諻讙諻音也一曰大聲 瑝玉聲 蝗螽也 𤭛小瓦謂之𤭛 愰憕愰失志 鐄大鐘

也大鎌也 潢艎博雅筏也或从舟 趪起皃 韹爾雅韹韹樂也 穔穔程稴也 䫛暴風 ○諻呼横切大聲文八

喤諠也 揘擊也 嚝聲也 謍謍謍小聲 𦑋博雅𦑋䎀飛也 鍠鼓鐘聲 䫛䫛颹風皃 ○觵觥姑横

切說文兕牛角可以飲者也其狀觵觵故謂之觵或从光文十一 侊說文小皃引春秋國語侊飯不及一餐 𦊨罟橐同滿也或作罟

橐 䐗膹膨脝大腹或作膹 𩅰吳王孫休子名 僙趪武皃或从走 ○鬃𥙧祊晡横切說文門内祭

先祖所以彷徨引詩祝祭于鬃或作𥙧祊通作閍文二十二 閍宫中門 艵舟名 縍結也 彭衆車聲 騯旁騯騯馬盛皃或

省 榜說文所以輔弓弩 嗙說文謌聲嗙喻也司馬相如說淮南宋蔡舞嗙喻也一曰叱也 傍傍傍然不得已 勜奟𠢏

大力也或作奟𠢏 搒扐相牽也或作扐 垬塜口穴 浜溝納舟者曰浜 𧍱𦝫蟚蜞胖也或作𦝫 𤟥犬也 ○



磅硼披庚切擊石或作硼文二十三 忼忼慨也一曰志憩 洴泙澎水聲或作泙澎 亨烹亯

亯鬺煑也或作亨古作亯亨鬺 搒打也 鏰鍊金也 憉憉悙自矜健皃 澎苹澇澎濞水皃或作苹澇

怦博雅急也 椖本弩 軿軿輣車馬聲 弸繃張弦也或从糸 㧊擊聲 ○彭蒲庚切說文鼓聲也一曰水名在衛

地一曰國名文二十六 軿輣䡢傍傍車聲也或作輣䡢傍傍通作彭 騯說文馬盛也引詩四牡騯騯通作彭 輣

說文兵車也 棚說文棧也 趽說文曲脛馬也 錋兵器 鬅鬅鬙亂皃 膨膨脝大腹 憉憉悙自矜健皃 澎縣名

在東海一曰水皃 斛量溢 榜所以輔弓弩也 搒笞擊也通作篣 篣博雅籠也 蒡艸名爾雅蒡隱葱郭璞說 稖稖程穇也

蟚蟚蜞蟹屬或書作蟛 𩡝𩡝馞芬芳也 䒍䒍葧白蒿也兔食之壽八百歲 䅭禾密也 𡄯聲也 ○盲瞢

𥆰𤸪眉耕切說文目無牟子或作瞢䀄眘文十九 䁅說文冥也 瞑䁅盯直視 鄳縣名在江夏 鄍縣名在義昌

𧍙蝱說文齧人飛蟲或省 𨯮錳鋂也或省 莔𧍙蕄蓳艸名說文貝母也或作𧍙蕄蓳通作𧍙 莔

箵竹名或作箵 䍠地名在秦 ○ 趟中庚切趟趟跳躍也文五 撐樘柱也或作樘 颹颹颹暴風 瞠直視 ○
瞠瞸盯憆䁎抽庚切直視也或作瞸盯憆䁎文十七 党說文距也 䚍䚍正視也一曰深意或作䚍
䟓路䟓行遲皃 樘撐掌橖說文衺柱也或作撐掌橖 𨍭小車藉也通作樘 湞水皃 蹚䠀距也
或从棠 ○ 棖除庚切說文杖也一曰法也一曰根謂之楔文十八 𣪘掁橙博雅揬也或从長从登 撐堂蹚
距也或作堂蹼 揨博雅揨掄擇也一曰擧也 盯瞪䁢盯視皃或从登 憕憕懮失志 澄水清定也 粻糧也 騁馬住
皃 倀獨立皃 䕫草也 趟趟趟走皃 颹颹颹風聲 ○ 鬡鬤尼庚切鬡鬤髮亂皃或从襄文十 獰犬多
毛謂之鬤 𠭬𠷃𠭯說文亂也一曰窒𠭯㩲作𠭯或省 蘘艸也說文蘘可以作縻綆 攘搶攘亂皃 檸木樟曰具佫作
檸頭 㾢病也 ○ 兵㑂𢍉晡明切說文械也从廾持斤并力之皃古謂㑂籀作𢍉文三 ○ 平𠀭蒲兵切說文語平舒
也从亏从八八分也爰禮說亦姓古作𠀭文十四 評博雅評訂平也 坪坪平也或書作垩 泙說文谷也一曰水名 枰棦枰仲
木名一曰博局或作棦 苹萍說文蓱也無根浮水而生者或作萍苹一曰蒴藋 胓博雅胓䏘脂也 蚲蟲名博雅蚲蠜蚲也 呯
呯呯聲也 抨使也 玶玉名 ○ 明明眉兵切說文照也从月从囧古作明又姓亦州名文十三 盟盟盟𥂗說文
引周禮國有疑則盟諸侯再相與會十二歲則盟北面詔天之司愼司命盟殺牲歃血朱盤玉敦以立牛耳或从囧从明古作𥂗 鶮䳟博雅鶮鳴鳳也
或从朙亦書作䳟 鳴說文鳥聲也 冥暗也易冥豫鄭康成讀 鄍縣名在義陽 明視瞭也 萌蔽萌艸名 ○
生𡉚𤯓師庚切說文進也象艸木生出土上又姓古作𡉚唐武后作𤯓文十九 甥說文謂我舅者吾謂之甥亦姓 笙說文十三
簧象鳳之身正月之音物生故謂之笙大者謂之巢小者謂之和古者隨作笙一曰吳人謂簟爲笙 鉎鐵衣也 牲說文牛完全 猩
猩猩猩獸名能言者或从生 鼪獸名似鹿而小一曰大兔 鼪鵿江東呼鼪鼠爲鼪或从鳥 湦鬭人名曹桓公終湦 姓人鬭
名春秋傳蔡公孫姓 𣦶死而更生 湦水深廣皃 甡甡甡毛起皃 𡊬地名在魯 胜䐶肉 ○ 鎗鏿楚耕切說文鐘
聲也或作鏿文七 槍爾雅彗星爲欃槍 瑲玉聲也 鎗釜屬通作鐺 滄滄冷皃古作滄 ○ 傖鋤庚切吳人罵楚人
曰傖文八 𧗸𦍧獸角長曰𧗸或作𦍧 鬇鬡鬇鬡髮亂皃或作䰑 鎗鐘聲也 搶搶攘亂皃 噌噌吰愚怯 ○
京居卿切說文人所爲絕高丘也一曰大也又姓文十 荊䔍說文楚木也又姓亦州名古作䔍 驚說文馬駭也 麠麖麠

說文大鹿也牛尾一角或从京 鶁 羌鶁鳥名南方有之 蟼 蟲名爾雅蟼蟆蛙類 ⿸广京 廣雅倉也 婛 女字 ○卿 丘京切說文章也六

卿天官冡宰地官司徒春官宗伯夏官司馬秋官司寇冬官司空又姓文三 夘 說文事之制也亦姓 慶 賀也 ○擎擏 渠京切舉也或

从廾亦書作擏文十四 勍 說文彊也引春秋傳勍敵之人 黥剠䵞 說文墨刑在面也又姓或作剠古作䵞 顲 博雅顉頭也

⿱艹勍 艸名山薊也 檠𢏺 說文榜也或从弓亦書作檠 樈 鐅柄 鱷鯨 說文海大魚也一說雄曰鱷雌曰鯢常以五月生子

於岸八月導而還海鼓浪成雷噴沫成雨水族畏之或从京 矜 戈戟柄 ○迎 魚京切說文逢也文一 ○英 於驚切說文艸榮而不實

者一曰黃英一曰知出万人為英又姓亦州名文二十三 柍楧 說文梅也一曰江南橦材其實謂之柍或从英 瑛 說文玉光也 ⿵風英 高風

也 媖 女人美稱 蝧 蜂屬 韺 博雅五韺帝嚳樂通作英 䣐 地名 霙 霰也通作英 渶 水名出青丘 䁝 目深也

鶧 繼鶧鳥名通作英 央怏 鮮明皃詩旂旐央央或作怏 泱 泱泱雲皃通作英霙 煐 闕人名南史有張煐 ⿸广英 長廊

碤 水中石 鍈鉠 鈴聲或省 ⿰谷英 谷名 ⿰英殳 青皃 ○榮 于平切說文桐木也一曰屋梠之兩頭起者為榮一曰艸華謂之榮

又姓亦州名文十 嶸 崢嶸山皃或省 瑩 石似玉 禜 祭水旱也 蠑 方言易蜴南楚或謂之蠑螈通作榮 ⿰扌榮 擊也

大一百十字 小七百二十五 螢 火蟲名 嫈 女字 ⿱𤇾瓜 小瓜 ○兄 呼榮切說文長也一說从人口以制下文一 ○謍 乙榮切謍譻聲也文一 ○





吉貴

夻 口觥切大也文二 ⿱夻石 磕磕石聲

十三 ○耕畊 古莖切說文犁也一曰古者井田故从井古作畊文二 ○鏗鑋鎮 丘耕切博雅鏗鎗聲也或

从堅亦作鎮文二十九 捐摃 琴聲論語摃爾舍瑟而作或作摼通作鏗 摼掔 說文擣頭也或作摼 𣢧 欵也 䁌瞯

瞪瞯視不明或从巠 峌 谷也 硜硻 硜硜小人皃或作硻 臤 說文餘堅也 ⿱殸車轒 說文車堅也或从賓

轃 博雅擊也 輷 輷輘車聲 牼 說文牛厀下骨引春秋傳宋司馬牼字牛 羥 說文羊名 鵛雃 鳥名或从隹 硍

硍 鐘病聲周禮高聲硍杜子春說或作硍 誙 誙誙趣死皃李頤說 娙 女身長謂之娙 郉 臨郉山名在吳郡吳宮以為門名一曰磨石一曰谷

名 ⿱巠土 不可近也 ○娙 魚莖切說文長好也文三 俓併 急也伎也或作併 ○罌罌罂甇 於莖切說文缶也或

从瓦亦作甇文三十 英𦐇 以羽飾矛或从矛 罃 說文備火長頸缾也 甇 器也 ⿱𤇾刂 刜木也賈思勰曰山澤林木大者劉殺之

嫈 說文小心態一曰嫈嫈好皃 ⿱𤇾日 日淨皃 譻 說文聲也 嚶 說文鳥鳴也通作譻 營 呻也 鸚䳇 說文鸚䳇能言

鳥也或从隹 鶯鸎 說文鳥也引詩有鸎其羽或作鸎 櫻 櫻桃果名 莖 姚莖艸名 蘡 艸名博雅燕薁蘡舌也 褮
鬼衣 䙬 閒采 賏 說文頸飾也 瓔 石次玉 嫈 嫈娙下俚婦人皃 䁐 䁐瞭目無光 鸚 鸚鸚鳥名東夷有之 譻
謍 怒也或作謍 諻 銅器聲 ○ 莖 何耕切說文枝柱一說艸曰莖竹曰箇木曰枚文九 䪫 博雅六䪫顓頊樂通作莖 牼 牛膝
下骨 誙 誙誙趣死皃 鈃瓶甄鋞 器似鍾頸長或作瓶甄鋞 鋞 鑠鋊 ○ 宏宖 乎萌切說文屋深也或从
穴文二十三 厷 大通也通作宏 宖 說文屋響也 閎 說文巷門也又姓 紘紭 說文冠卷也一曰纓从下而上者或从弘
耾𦖋 博雅聾也一曰耳中聲一曰耾耾大聲或从宏 弦彋 弸弦弓聲或作彋 鈜吰 鏗鈜鐘鼓聲或从口 砿
硡 博雅硡礚聲也或从宏 嶸巆嵤㟗峵 說文崝嶸也或作巆嵤㟗峵 谹 說文谷中響也 翃 翃翃飛也
或書作拡 蚿 蟲名 竑軚 度也周禮竑其輻廣或作軚 橐𦉥 閎滿也或作𦉥 汯浤 汯汯迴流也或从宏 掏
擊也 颰 大風也或書作䬕 䮺 馬一歲也一曰縣名 熒 火光 ○ 泓 烏宏切說文下深皃一曰水皃文九 宖 屋響也 謍
謍譺小聲 閎 試力士鍾也 叿 牛聲 耾 耳中聲 弘 弓聲 汪 水皃 竤 屋深 ○ 訇訇 呼宏切說文駭

大一百三十五
小六百五十



言聲漢中西城有訇鄉籒不省又姓文三十 颵䬝 風聲或从甍 揈掏 揮也或作掏 愪愳 㥼愪怒皃或作愳
渹澋 水相激聲或作澋 鍧鐢 鏗鍧鍾鼓聲或作鐢 轟輷軥軥 說文羣車聲也或作輷軥軥 甍
砿碒磅 石落聲或从宏从訇从營 翁甍翖翋 翁翁飛也或作甍翖翋 甍 衆也疾也詩度之甍甍沈重說
閎 閎廓深遠也一曰大也 謍嵤 大聲也或作嵤 耾 耳中聲一曰耾耾大聲 嵤 嶺嵤山深 ○ 琤 初耕切說文玉聲也
文十 錚鎗 金聲或从曾 噌 噌吰聲也 掙 博雅刺也 淨 冷皃 鏳鏘 鏗鏘聲也或作將 棦 木束也
謍 呷也 ○ 爭𠬝 甾莖切說文引也徐鍇曰从𠬪ノ𠬪二手也而曳之爭之道古作𠬝文十八 箏 說文鼓弦竹身樂也一說秦人薄義
父子爭瑟而分之因以爲名 𦱤 說文艸箏薴皃 埩 耕治也 䋫綪 說文紆朱縈繩一曰急弦聲或作綪 猙 獸名似豹一角三尾
䏎 足筋 鯖 魚名博雅竹頭鯖也 錚 說文金聲也 羘 羚羊名 𨜬 國名 䦛 犁上木 䡠 車聲 鮏 魚名
暒 雨而見星 諍 訟也 ○ 崝崢嶒 鋤耕切說文嶸也或作崢嶒亦書作崢文十七 竲 說文北地高樓無屋者 淨
說文魯北城門池也 埩 耕治也 鬇𩯘 鬇鬡髮亂或作𩯘 䒰 䒰苧艸亂 䃔 破聲 䆸 䆸宏屋大 噌 噌吰聲也

鯖魚名 鏳琤玉聲或从玉 ⿰弓曾弓弦聲 磳碅磳石皃 ○朾丁中莖切伐木聲或作丁文十三 玎玎玲

玉聲 ⿰𧾷丁跉⿰𧾷丁行遲皃 ⿰丁登撜張也或作撜 ⿱穴登⿱穴登宏屋響 揁引也 僜僜倗不仁 憕忛憕失志 ⿺風登颼⿺風登風聲

鬇鬇鬡髮亂 猙猙獰犬毛 ○橙䔲除耕切說文橘屬或从艸文十五 朾揨⿰亭攵揨⿰亭殳說文橦也

或作揨⿰亭攵揨⿰亭殳 ⿰亭攵⿰亭殳挨也或作⿰亭殳 ⿱穴丁小突也 ⿱穴曾⿱穴曾竑響也 䁝審視皃 湞湞陽縣名屬始興郡 虰蠪虰螘屬

咛器也 ○儜尼耕切弱也通作嬣文九 ⿰言寧營⿰言寧小聲 ⿰食寧食也 ⿱艹寍薴說文艸亂也杜林說艸⿱艹爭⿱艹寍皃或作薴 ⿰禾寧

禾宅曰⿰禾寧 嬣姘嬣文劣皃 獰狰獰犬毛一曰惡也 鑏刃柄 ○繃綳悲萌切說文束也引墨子曰禹葬會稽桐棺三寸葛以繃之或作綳文十五 絣說文氐人殊縷布也 ⿱𢆶皿繩以直物通作絣 ⿺辶⿱𢆶皿博雅⿱𢆶皿也一曰行急 拼抨伻迸平苹

爾雅使也或作拼伻迸古作亚苹 ⿰弓并彈也通作拼 ⿰女崩謹也 軯車聲 螃蝦蟇類 ○怦姘披耕切博雅急也一

曰忠謹皃或作姘文二十八 姘說文除也漢律齊人予妻婢姦曰姘 拼伻迸平苹使也或作伻迸古作平苹通作拼

抨說文撣也 閛閍闔扉聲或从并 漰漰湱水聲 弸弸弦弓聲 砰硑匉⿰食平廣雅砰磅聲也或作

砰匉古作⿰食平 軯駍車馬聲或从馬 ⿰月平腹脹 ⿰牛平說文牛駁如星 ⿰羊平駁羊名一曰使羊也 馮馮閎大也下曰虛廓 ⿰忄并

㥊忼慨也或从朋 硼磞石名或从彭 ⿰亐力大也 ○弸蒲萌切說文弓彊皃一曰滿也揚子弸中彪外文六 㥊惆悋怒皃

⿱馮水⿱馮水滂水勢相激皃 馮馮閎大也 棚博雅閣也 痭腹滿 ○⿱⿱艹罒見⿰木甍甍謨耕切說文屋棟也或从木亦作甍

文十六 ⿱艹覓艸名似苕可為帚 ⿱竹覓竹也一曰竹筍 萌鋂說文艸芽也古作鋂 ⿱萌心心所在也通作萌俗作蕄非是 甿

說文田民也 氓說文民也通作萌甿 嫇嫈嫇幼婦一曰小人皃 矒瞑瞑矒視不明皃或作瞑 盟誓約也莊子其留如詛盟

徐邈說 鄳縣名在江夏 橗木名 ○宖⿱穴弘乎萌切屋響也或从穴文三 忛忛憕失志皃 ○磷力耕切砰磷峻

皃文四 輘輷輘車聲 駖馬衆聲 玲玲玎玉聲

十四 ○清親盈切說文朖也澂水之皃文六 鯖魚名 圊博雅圊廁也 請漢有請室請罪室也 棈木名

䨝䨝女神名 ○精咨盈切說文擇也文二十六 晶晟說文精光也或作晟 菁艸名說文韭華也 鶄⿰青隹

鳥名說文鮫鶄也或从隹 蜻⿱精虫蟲名說文蜻蛚也或从精 鼱鼱鼩小鼠 婧竦立也一曰有才 睛目睛 聙善聽也

䪫䪫顩頭不正氏㫌氏縣名在代郡旌旍精猜說文游車載旌析羽注旄首所以精進士卒又姓或作旍精猜
游旌水名在南郡或从旌菁蕪菁艸名通作菁鶄鶄䴉鳥名鵁鶄也腈肉之粹者睛目瞑菁茂良詩菁菁者
莪通作菁箐笭箐小籠○餳徐盈切說文飴和饊者也文一○情晴慈盈切說文人之侌气有欲者或从口文十殅
晴暒說文雨而夜除星見也或作晴暒請受言也𧵩受賜也戕殺也蜻蟲名如蟬而小餳飴也○
觪觲思營切說文用角低仰便也引詩觲觲角弓或省文七騂𤚩牲赤色或从牛𡑞垶說文赤剛土也或作垶烊
博雅赤也○幷卑盈切說文相從也又州名亦姓文十栟木名說文栟櫚也箳箳篂車轓屏屏營征伀也庰屋蔽也通
作屏絣雜也太玄錯絣箳盛絜籠姘蔽也箳竹名䴵鳥名○名弥幷切說文自命也从口从夕夕者冥也冥不相見
故以口自名又姓文六洺水名冥幽也史記冥冥使事劉伯莊讀顭眉閒謂之顭眳眳睛不悅皃䊅漬米也○聲
殸書盈切說文音也亦姓古作殸文三䎴無形而響○延征徰諸盈切說文正行也或从彳古作徰文二十三延說文
行也正歲之首月夏以建寅月為正殷以建丑月為正周以建子月為正𦀔馬飾也鉦說文鐃也似鈴柄中上下通帧
射的通作正征怔方言征伀偟遽或从心眐眐眑獨視也䘺征衳小兒衣也鴊鳥名方言齊魯間謂題肩為鴊䏴
鯖䐽𤎩䭘煑魚煎肉曰鯖或作䐽𤎩䭘炡炡爚爍也政賦也周禮聽政役以比居通作征正証諫也聇
博雅聇聇行也姃女字○成𢦩時征切說文就也古从午亦姓又州名文十八郕說文魯孟氏邑城𩫨說文以盛民也籀作𩫨
誠說文信也宬說文屋所容受也盛說文黍稷在器中以祀者也晟明也珹美珠也𩕄項也㼩甑也晠
飯匱也从曰峸山名䧕地名荿艸名筬筬筐織具娍女名○禎知盈切說文祥也文十一上所稱貞鼑
偵說文卜問也从卜貝以為贄一曰鼎省聲京房所說一曰正也古作鼑或作偵楨說文剛木也上郡有楨林縣一曰築牆具湞說文水出南海龍川
西入溱𨛦地名𨺅說文丘名寊闕人名後周齊王子寊揁引也媜女字○檉癡貞切木名說文河柳也文十八
偵博雅偵覆問也湞水名䞓赬𧹞緽說文赤色也引詩魴魚䞓尾或作赬𧹞緽通作竀浾泟說文浾棠
棠棗之汁或从正𧿒跉𧿒偏行竀䚨說文正視也从穴中正見也或作䚨虰蟻屬朾地名在宋春秋傳會于朾通作檉蛵
蛵也阷丘名酲病酒逞縱也○呈馳貞切說文平也一曰見也文十二程說文品也十髮為程一程為分十分為寸又姓

醒說文病酒也一曰醉而覺也 珵佩玉也珩謂之珵一曰玉大六寸 逞行期也通作程 郥地名 筳博雅笭箵筳席一曰竹名可爲笛

禔倮也一曰佩紟謂之禔 脭肉之精者 挰博雅擇也一曰舉也 娙女名 虰蟻蠲 ○跉離貞切跉跰偏行文五

伶建伶縣名 令使也 磬多聲也 魿魚蟲連行紆行 ○盈怡成切說文滿器也一曰國名文二十五 楹⿰木贏

桯說文柱也引春秋傳丹桓宮楹或从贏从呈 郢姓也 ⿰月盈肥也 溋闕人名魯有大夫溋 ⿰犭盈獸名黃狐也 嬴說文少昊氏之姓

⿰女嬴方言娥嬴好也 瀛海也楚人名澤中曰瀛亦州名 洵水名在沂縣 ⿰石嬴石名 贏夃說文有餘賈利也或作夃

籯䈴說文笭也或从盈 攍𢹿方言儋齊楚陳宋曰攍或从盈通作贏 𨗿闕人名晉有欒逞通作盈 蘁蒕莿華也或作蒕

⿰糸盈⿰糸呈絲綬也或作⿰糸呈 鸁鳥名白鷺也江東語 ○輕輕逕牽盈切說文輕車也古作輕逕文九 ⿱輕金金聲也一曰斷也

⿱巠足一足行也 ⿱穴巠空也詩缾之罄矣 罄不可近也 ⿱殸木側器傾酒槃也 ⿰山巠深谷 ○頸渠成切項也文四

鰹說文魚名 葝⿱艹剄艸名爾雅葝山䪥或从刀 ○嬰賏伊盈切說文頸飾也或省一說女曰嬰男曰兒文十三 瓔石似玉

纓說文冠系也 攖拈也亂也 瀴瀴溟水絕遠皃 ⿰嬰阝地名 蘡艸名蘡薁也 櫻櫻桃果名 ⿰矢嬰短也

癭頸疾 鑍博雅鑍謂之鈁 ⿰牛嬰牛名 ○營維傾切說文帀居也一曰度也亦姓文十八 瑩石似玉 鎣器也一曰采鐵也

⿱𤇾瓜小瓜 塋說文墓也 櫿木名 ⿱𤇾目惑也 覮覮然能視也 謍說文小聲也引詩謍謍青蠅 瀯

濴濚瀯濴水回皃或从縈从熒从榮 榮屋梠之兩頭起者禮外自東榮劉昌宗說 禜祭水旱也 熒火光 𤺺病也 ⿱𤇾耳聲也

○⿰貝旬翾營切貨也文四 騂牲赤色 濙⿱𤇾水水名或作濙 ○傾⿰阝頃窺營切說文仄也或从阜文六 頃說文頭不正也

坰遠也詩在坰之野 ⿱艹頃麻屬 廎屋側也 ○瓊璚瓗琁葵營切說文赤玉也亦从矞从巂或从旋省文二十五

煢說文回疾也 惸㷀恂𢘊惸惸憂也或作㷀恂𢘊 赹趜說文獨行也或从旬 睘說文目驚視也引詩獨行睘睘

𢹶博子通作擭 嬛嫈儝傥學獨也或作嫈儝傥學通作學嬛一曰淑媛也 ⿱𤇾車說文車轅規也一曰一輪車

藑艸名說文茅葍也一曰蕣也 ⿱艹學⿱艹榮艸旋皃或作⿱艹榮 ⿰木𤇾木名 ⿰貝旬⿰貝學貨也或作⿰貝學 ○縈⿱𤇾巾娟營切說文收卷也或从巾文十

⿱艹縈說文艸旋皃也引詩葛藟縈之 褮說文鬼衣 嫈小心態一曰縈嫈漢侯國名 ⿱𤇾音聲也

幀覆也 攖有所繫著也 ⿰石縈石名 濴濴瀠波浪涌起皃 ○泂古熒切大泂地名文一 ○頸吉成切項也文二

瀅 絕小水也 ○ 穣 人成切踩禾黍之餘文一 ○ 騂 許營切牲赤色文二 [illegible] 貨也 ○ 薨 牲成切屋棟也文一 ○ 聘

四名切訪也文一

十五 ○ 青 𡗗 岺 𡴫 倉經切說文東方色也木生火从生丹丹青之信言必然又州名亦姓古作𡗗岺𡴫文十一

靘 䩄靘無色 鶄 鶄鶄鳥名畜之以厭火 綪 淺碧色 菁 華盛皃 鯖 魚名 蜻 蜻蛉蟲名蝍蛉也六足四翼 圊

廁也 ○ 曐 星 皨 桑經切說文萬物之精上為列星一曰象形从口古口復注中故與日同或省又姓古作皨唐武后作○文二十三

𥟌 禾稀也 惺 惺憽了慧 醒 醉解也 箵 博雅箵箵蔽篕也 鍟 鍟 鐵衣或从星 腥 豕中肉息 胜 說文

犬膏臭也一曰不熟 猩 說文猩猩犬吠聲 鮏 鯹 說文魚臭也或从星 狌 獸名似人 艀 船名 褆 燐光箸衣 睲 目睛照也

䃏 石名 蛵 蛵蜓蟲名 煋 火熱也 瑆 玉光 ○ 竮 傍丁切竛竮行不正也通作俜文十八 甹 說文亟詞也一曰甹俠也三輔

謂輕財者曰甹俗作甹非是 荓 荓蜂摩曳也通作萍 髆 肋骨 䔊 水中浮艸 箳 吳人謂蠶曲為箳 俜 說文俠也 䨩

䨩䨩雨皃 𢕍 說文使也 竮 或从立 姘 姦也 頩 博雅艵頩色也 艵 說文縹色也 聠 耳門也 𧩐 言也



䈂 舟車蓬 渹 水皃 絣 吳人數絮 ○ 缾 瓶 䍽 旁經切說文罋也或从瓦从平文二十五 軿 輧 說文輕車

也或从屏 屏 所以蔽也 䴵 𦉺 說文极也杜林以為竹筥楊雄以為蒲器或从并 竮 竮 竛竮行不正或省 郱 說文地名

在臨朐 洴 洴澼漂絮聲 荓 萍 艸名說文苹也或作萍 荓 艸名說文馬帚也 笄 竹名一曰笄筝戶扇 鵧 鷦鵧鳥名

箳 箳篂蔽簹 𪕒 說文𪕒令鼠一曰鼠子 蛢 蟲名說文蟠蟥也 苹 蔽也周禮苹車所用對敵自蔽隱之車 鉼 漢侯國名

駢 地名論語駢邑三百 帡 覆蓋也楊子夏屋之為帡幪 玶 玉名 ○ 冥 瞑 忙經切說文幽也从日六冖聲日數十十六日而月始虧

幽也亦姓或从日文二十三 瞑 合目也 覭 說文小見也引爾雅覭髳弗離 䫤 眉目閒也引詩猗嗟䫤兮 慏 覆也 熐 熐螽蚢聚落

也 䋱 細絲也 嫇 說文嬰嫇也一曰嫇嫇小人皃一曰嫇奵面平 銘 名 志也或作名 溟 說文小雨溟溟也 鄍 說文晉邑

也引春秋傳伐鄍三門 蓂 蓂莢堯時瑞艸 䒌 䕻 潰米也一曰䒌泠縣名在交阯或作䕻 榠 榠樝果名 猽 𤝞 小豚也或

从犬 螟 說文蟲食穀葉者吏冥冥犯法即生螟 禖 福也 䁝 行而上聽也 𦗓 窗也 ○ 丁 个 當經切說文夏時萬物皆丁實

象形一曰當也又姓古作个文十五 釘 說文鍊鉼黃金郭璞曰鶴鄰矛江東呼為鈴釘一曰鐵鉽 玎 說文玉聲也引齊太公子伋謚曰玎公 葶

十五 ○青

說文補覆下也閅說文丘名疔病創跁行跉跁獨行或从彳甼甼小周叮叮嚀囑辭通作丁虰

蟲名赤蚍蜉也或作朾灯火也奵女名一曰頻奵面平○聽湯丁切聆也文二十九廳古者治官處謂之聽事後語省

直日聽故加广汀𤰟渟說文平也謂水際平地或从平从亭訂𧥣評議或作𧥣縕綎說文綬也或从呈綎

鞓鞓說文系綬也或作鞓鞓矴庁碑柎或省程說文牀前几一曰碓梢筳笭筳竹器村地名在宋艼

艸名說文艼熒朐也頲狹頭皃町圢說文田踐處曰町或从土朾朾下木也甼甼周也骬骿髎骿長骨

皃筳方言緗筳意也豖皃珽大圭長尺二寸耵耵聹耳垢○庭唐丁切說文宮中也文三十八廷說文朝中也

𥦗亭穴也說文民所安定也亭有樓从高省停止也渟水止曰渟娗婷博雅娗婷容也一曰女出病或从亭聤

耳病䁍目眵梃縣名在膠東國甹說文定息也綎綬謂之綎𤭢甎也霆鼏說文雷餘聲也鈴所以挺出萬物

或从鼎朾橦也葶葶藶藥艸莛壬說文莖也一曰屋梁或作壬筳說文繀絲筦一曰筳人結艸折竹卜曰筳篿

㹶獔㹶猱猨屬或从庭鼮鼠名文如豹漢武帝時得此鼠終軍知之鯙鯅魚名鮎也或从廷蜓蜓蚞蟲名蟪蛄也



蠕蠶中息也榳樗榳長木楟木名棃也奠廣雅重也蝏蝏螏水蟲名訂評議也嵉山名在白登

閮門中也邒亭名汀水平定止也○靈霛靈靈巫言郎丁切說文靈巫以玉事神一曰善

也又姓亦州名或从巫古作靈䨩俗作霊非是文一百六十五靈𥛠神名或从霝霝說文雨零也引詩霝雨其濛通作零零

零零囹說文餘雨也又姓或作零亦从洺古作囹龗龗䨻龗說文龍也古作龗龗𩴆𩕐山神

入面獸身或作𩕐亦書作䰱昤曨昤曨日光或从靈朎朎朧月光泠說文水出丹陽宛陵西北入江又姓伶說文弄也益州

有建伶縣通作泠亦姓姈女字婞說文女字也竛彾跉竛竮行皃或从彳从足呤埤倉呤吟語也詅衒也黔

鬼也冷吳人謂冰曰冷澤聆說文聽也鈴說文令丁也玲說文玲玉聲醽醽醽酃湘東美酒或不省亦作醽酃通作酃

酃說文長沙縣亦清河縣齡古者謂年齡齒亦齡也通作秢狑犬聲鄝縣名𩗴寒風蘦蕶艸苹蹏也或从零

拎𢲵攊懸捻物也或从零从靈令使也囹說文獄名䚖說文面瘦淺顬顬也𤵶疲病岭山深也或書作

岺阾顛阾阪名通作軨𦉢鈴說文瓦器也或从令亦書作𦉢瓴甄霙說文甓似瓶或作甄霙櫺棂

說文楯閒子也或从零通作靈 欞 方言屋梠謂之欞 柃 說文木也 艑艗舲艛 舟也一曰舟有窻者或从靈从令从零

軨轜 說文車轖閒橫木或从霝司馬相如說 苓蘦 艸名說文卷耳也一曰茯苓藥艸或从領 蘦 艸名說文大苦也

蕶 艸蕶落也通作苓 笭䈖 說文車笭一曰笭篝也或从幹 䉖䉹 竹名一曰竹器或从靈 麢䴫麢

羺羚 說文大羊而細角或从零亦作麢䍶羚 駖 駖轞車騎聲 𣬦 毛結不理通作泠 鼢 博雅鼢鼠屬 羚𤢺

㺠 良犬也秦有狑或作𤢺㺠 鴒鷂 鶺鴒鳥名或从靈通作令 鶈雡 鳥名鶺小者鶈或从隹 翎 說文羽也 鯪 說文魚連

行紟行者 蠕 說文蛆蠕桑蟲也通作蛉 蛉 蟲名說文蜻蛉也一曰桑根 紷 緋絮一曰絲細湅為紷布細湅為繐 鹷 鹽也 䖅

獸名似虎而小出南海 怜憐 心了也或从靈 瓴 小瓜出南海 𤛐特 牛名或作牲 𠆩 撞也 𠟃刢剑

刀剖物或作刢剑 餘 方言餌謂之餘 餕 食飽也 聆 耳聲 砱礵碐 石也或从靈从零 靈䉹 巖穴或从

谷 岭 峻岸 爧燯 火光也或从零 蘦藚 艸名早荷也一曰蘢似藾或省 蠕 蟲名丹良也 緌 絮也 秢 禾始

熟日 閝閽 門上窻謂之閝或从霝 罓 罔也 罗 罗罬 獜 犬健 庈 屋通也 鬲 淩 水名 叨 四 叫聲也从



四口 轞 轞軨廞名 髎髍 骿骨兒或省 趚 犬走遂兒 洤 水名楚辭望涔陽兮而極浦 澪瀮 水曲或从靈 鬣

鬓 髮踈也或从令 曨曀眙䀁 白色或从霝从零从令 睡瞵 目光或从零 襦衿 衣光

也或从零从令 豨豼 豬豼藥名或从令 龗 黃龗龜名 蘦 艸名蔓生 窨 穴也 靈 天靈人頂骨可爲藥 檽

軨軨 牀第或从零从令 隌 隊鋒也 譻譻 音也或省 櫺糐 米餌或从零 ○寧 囊丁切說文願

詞也又州名文十六 寍 說文安也从宀心在皿上皿人之飲食器所以安人通作寧 聹 告也 聹 耵聹耳垢也一曰耳聒 鄩郱 鄉名

在馮翊谷口或作郉 鸋雡 鳥名爾雅鴽鸋子鸋或从隹 嚀 叮嚀囑辭通作寧 䆨蠕 說文蟲也一曰蝾蛀或作蝏 佞 諂也

莊子佞人之心郭象讀 寍 吳天謂之寍 濘 汀濘小水 嬣 女字 寗 願也 ○經經巠 堅靈切說文織也一

曰常也又國名亦姓古作經巠文十二 巠 說文水脈也一曰水冥巠也 涇 說文水出安定涇陽开頭山東南入渭雝州之川也 鵛雝

鳥名爾雅鵛鷊或从隹 徑 行過也 剄 說文刑也 桱 說文桱桯也東方謂之蕩 莖 藤類江淮人經絲用之 鄄 鄉名在密縣

○馨 醯經切說文香之遠聞者文六 㲹 說文聲也 蛵 蟲名爾雅虰蛵負勞即蜻蛉也 虐 虛池水名 洞 滄也 𢍽 定息

○馨 文六 …… 說文香 ……

[illegible]

〇形乎經切說文象形也文二十七 刑剄說文罰罪也从井刀引易井法也古作剄通作刑 刑說文剄也 硎砥石 型說文鑄器之法也一說以土爲法曰型以金爲法曰範以木爲法曰模 鋞說文溫器也圜而直上 鉶鈃說文器也卽禮盛和羹器或从形通作鈃

鈃𤭛㼛缻說文似鍾而頸長一曰酒器或作𤭛㼛缻 陘說文山絕坎也亦姓 郱鄉名在高密 邢說文周公子所封地近河內懷 蛵蟲名說文丁蛵負勞也 娙⿰女刑好也或从刑 桯方言榻前几江沔之間曰桯 𤬪小瓜 ⿰山巠說文谷也

⿰山刑山名 ⿰骨巠骨也 坙地名在趙通作陘 絣直也 侀成也 〇熒玄扃切說文屋下燈燭之光文十八 螢⿰虫熒火蟲或从熒 褮爾雅祋謂之褮一曰鬼衣 ⿱𤇾艸艸名 滎說文絕小水 ⿱𤇾目說文惑也 𤬪說文小瓜也 ⿱𤇾山嵤山深皃或从營 嫈好也一曰態也 鎣博雅磨也一曰器也 ⿰貝冋貨也 泂泂澤地名通作熒 謍小聲 濴濙回波曰濴 濚濙小水皃 謍辯解也莊子口將謍之

〇扃扃⿵門冋消熒切說文外閉之關也一曰鼎扃古作扃或作⿵門冋文十七 冂冋坰說文邑外謂之郊郊外謂之野野外謂之林林外謂之冂象遠界也古从口象國邑或从土 駉說文牧馬苑也引詩在駉之野 駫說文馬盛肥引詩四牡駫駫 ⿺鼠冋博雅⿺鼠冋鼠 絅說文急引也 瀅水名在襄陽 熲光也 鉉舉鼎也 顈禪也 泂大泂地名一曰水皃 耿明白也楚辭吾所陳之耿著



槁木名 〇娙五刑切廣雅好也文一 〇菁子丁切韭華也一曰茅有毛刺曰菁茅文二 青青青茂盛也通作菁 〇嫈於丁切博雅好也文四 晴晴吟小語 鯖魚名青色有枕骨 鎣器名 〇瀅烏熒切水皃文四 謍小聲 窅深目皃 嫈好也 〇坰欽熒切林野之外地文五 硎石聲 絅急引也 冂遠也 泂大泂地名

〇更古青切歷也文一 〇⿰彳夋子坰切不借之粗者曰⿰彳夋文一 〇桯餘經切博雅桯㮝俎几也文一 〇⿱殸土苦丁切不可近也文三 窒空也 漀側器傾酒將盡也 〇嫈火熒切女人潔清皃文一

十六〇蒸 蒸𦳇諸仍切說文折麻中幹也或省文十二 烝說文火氣上行也一曰君也進也衆也淫上也 ⿰言烝語頻仍 脀𦛗以牲實鼎或作𦛗 蒸博雅蒸謂之薀 篜竹名一曰竹皮有文 ⿰烝攴擊也 承丞承陽縣名在長沙或作丞 抍取也拔也 〇承弆𢍏丞辰陵切說文奉也受也又姓或作弆𢍏丞文十四 ⿱丞山丞說文翊也从廾从卩从山山高奉承之義隸省 脀說文騬也 ⿱丞車广說文韜車後登也或从广 㴑博雅潜㴑没也 郕成地名或省 儆理也 抍上舉也 〇繩神陵切說文索也文二十一 譝譽也通作繩 憴爾雅憴戒也 乘椉𠅞說文覆也从入

桀椉黠也軍法曰乘一曰四矢曰乘亦姓或作乗兗𨍭輮車一乘也或作轃騬䮭說文犗馬也或从乘澠水名溗

溗淩溗疊波一曰水不流也一曰水名或从乘塍𦡴暛墱塖說文稻中畦也或作𦡴暛墱塖䱍江東謂魚子未成者曰䱍

嵊亭名在吳䞉姓也○升書蒸切說文十龠也一曰布以八十縷為升一曰進也成也文十二昇阩日之外也又州名或作阩

陞阩𨁡登也或省亦从足通作升勝䞂說文任也从舟亦姓古作䞂抍撜上舉也或从登務麻屬箠

登車也○稱蚩承切說文銓也从禾爯聲春分而禾生日夏至晷景可度禾有秒秋分而秒定律數十二秒而當一分十分而寸其以為重十二粟為

一分十二分為銖故諸程品皆从禾又姓俗作秤非是文七爯說文并舉也偁說文揚也𥎰巨𥎰藥艸也秤耒也𠏷[illegible]

愚皃嬹女字○仍如蒸切說文因也文十九扔扨𢦏說文因也一曰引也或作扨亦省訒䚮說文厚也或从仍

礽福也通作仍陾說文築牆聲引詩捄之陾陾艿𦬸說文艸也一曰陳草相因艿或作𦬸杒說文木也珥割牲以釁也周

禮珥于社稷耳昆孫之子為耳孫通作仍鹵𠧢說文驚聲也古作鹵通作迈迈及也往也阞地名𡌥土器𦨨禾

名○仌冰悲陵切說文凍也象水凝之形或从水亦書作冫文六掤弓彊皃掤說文所以覆矢也引詩抑釋掤忌通作冰淜

大一百十小七百六十

無舟渡也輣車軿○淜披冰切淜滂水聲文七砅砰水激山也或作砰胍腹脹皃馮盛也春秋傳震電馮怒徐邈說





淜漫淜水皃堋削牆隤聲○凴皮冰切說文依几也引周書凭玉几或書作凭文八凭倗依也厚也滿也或作倗通作馮

淜馮淜水皃淜說文無舟渡河也通作馮蘧蘧蘧艸木盛馮說文馬行疾也一曰乘也凭據也○繒縡慈陵

切說文帛也籀从宰省楊雄以為漢律祠宗廟丹書告文十六鄫說文姒姓國在東海罾置魚筍中或書作罾驓蹭爾雅馬四骹皆

白驓或从足騬犗馬橧𧱼爾雅豕所寢橧或从豕竲高皃襘禢嶒崚嶒山皃甑炊器噌泓噌空曽意

憎牛名僧僧倰不寧也○徵𢿱𢿸知陵切說文从微省壬為徵行於微而聞達者即徵之一曰成也明也亦姓古作

數壬文七鄧古國名癥足瘡一曰腹病扐旌旗杠○僜丑外切倰僜病行皃文六庱亭名在吳興棱吳人

謂酢柚為棱睖睖瞪直視皃蝬蛤屬給絲勞也○澂瀓澄持陵切說文清也或作瀓亦从登文十一懲

說文𢗝也通作徵瞪直視憕說文平也謂心平承漢縣名在東海一曰楚言春秋傳蔡昭侯將如吳諸大夫恐其又遷也承橙

橘屬徵縣名在同州紿絲勞也膯美目皃○夌閭承切說文越也从夊从兴兴高也一曰夌徲文三十四陵䬋

集韻平聲四

十一

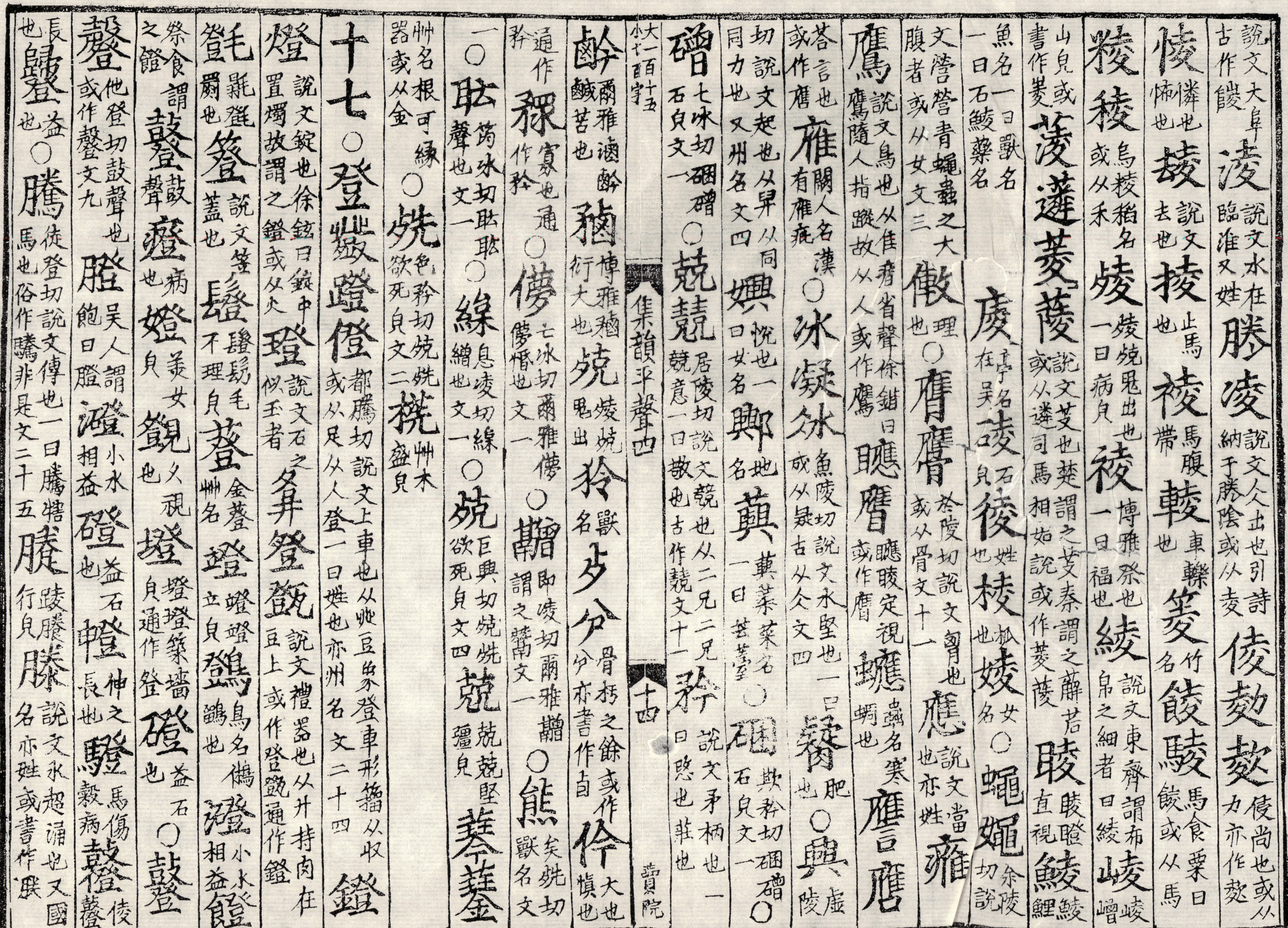

說文大阜古作餕 淩說文水在臨淮又姓 勝凌說文仌出也引詩納于勝陰或从夌 倰勑倰尚也或从力亦作勑

倰憐也怖也 掕說文去也 掕止馬也 棱馬腹帶也 輘車轢也 菱竹名 餕騃馬食粟曰餕或从馬

稜稜烏稜稻名或从禾 陵陵嶢鬼出也一曰病皃 祾博雅祭也一曰福也 綾說文東齊謂布帛之細者曰綾 崚崚嶒

山皃或書作菱 蔆遴菱蘷說文芰也楚謂之芰秦謂之薢茩或从遴司馬相如說或作菱蘷 睖睖瞪直視 鯪鯪鯉

魚名一曰獸名一曰石鯪藥名 庱亭名在吳 陵石皃 倰姓也 棱柧也 婈女名 ○蠅蠅余陵切說

文營營青蠅蟲之大腹者或从女文三 憿理也 ○膺膺於陵切說文胷也或从骨文十一 應說文當也亦姓 癰

鷹說文鳥也从隹瘖省聲徐鍇曰鷹隨人指蹤故从人或作鷹 譍 應睖定視 蠅䗖蟲名寒蜩也 譍䧅

荅言也或作應 雁關人名漢有雁疵 ○冰凝冰魚陵切說文水堅也一曰或从疑古从仌文四 脋肥也 ○興虛陵

切說文起也从舁从同同力也又州名文四 嬹悅也一曰女名 鄭地名 蕻蕻菜菜名一曰芸薹 ○硱欺矜切硱磳石皃文一 ○

磳七冰切硱磳石皃文一 ○兢競居陵切說文競也从二兄二兄競意一曰敬也古作兢文十一 矜說文矛柄也一曰憐也莊也

大一百十五 小七百字 集韻平聲四 十四 讀院

齡爾雅𪘲齡鹹苦也 㱉博雅㱉行大也 殑殑殑鬼出 矜獸名 歺歺骨殘之餘或作歺亦書作𣦵 伶大也慎也

通作矜 䅠寡也通作矜 ○儚七冰切爾雅儚儚惛也文一 ○䲍即凌切爾雅䲍謂之䲍文一 ○熊矣殑切獸名文

一 ○耾蒲冰切耾耾聲也文一 ○線息凌切線繒也文一 ○殑巨興切殑殑欲死皃文四 兢兢兢堅彊皃 㯳蓁

艸名根可緣器或从金 ○殑色矜切殑殑欲死皃文二 㮕艸木盛皃

十七 ○登𤼷蹬僜都騰切說文上車也从癶豆象登車形籀从収或从足从人登一曰姓也亦州名文二十四 鐙

燈說文錠也徐鉉曰錠中置燭故謂之鐙或从火 璒說文石之似玉者 𡙕登𤼷說文禮器也从廾持肉在豆上或作登𤼷通作鐙

毛𣯍𣯍𣰡罽也 簦說文笠蓋也 鬇鬇髟毛不理皃 蓌金蓌艸名 墱墱墱立皃 䳾鳥名鵪鵪也 澄小水相益 [illegible]

祭食謂之[illegible] 鼟鼟鼓聲 𤸫病也 嫈美女皃 覴久視也 墱墱墱築墻皃通作登 磴益石也 ○鼟

鼟他登切鼓聲也或作鼟文九 膯吳人謂飽曰膯 澄小水相益 磴益石也 蹬伸之長也 𩦦馬傷穀病 鼟鼟倰

長也 鼟益也 ○騰徒登切說文傳也一曰騰犗馬也俗作驣非是文二十五 䠮䠮𨂾行皃 滕說文水超涌也又國名亦姓或書作𦩟

[illegible]

十七 [illegible]

[illegible]

十四

[illegible]

⿰月桼說文迻書也 膯美目也一曰大視 憕懵憕迷亂 儯僜倰儯長也或作僜 ⿸疒桼⿸疒縢痛病或从縢

縢縢說文緘也或作縢縢 幐說文囊也 藤茿藤艸名胡麻也一曰藟也 ⿸虍縢⿸虍滕說文黑虎也或省 螣

說文神蛇也一曰蝗也或作螣 䲢鰧魚名山海經來需之水多䲢魚其狀如鱖或作鰧 黱黑皃 籐竹器 䁝瞢目暗

鼟鼓聲 ○棱楞盧登切說文柧也或作楞俗作棱非是文十五 輘輘轄車聲 倰博雅長也 䬋䬋䬋大風 稜

博雅踜蹶也一曰踜蹬行皃 䯖骨高 崚崚嶒山皃 蔆菱蔆菜名 掕止也 㥄方言㥄憮哀也 䬈馬食

穀病 䃡石皃 ⿱竹夌竹名 ○能䏻耐奴登切說文熊屬足似鹿能獸堅中故稱賢能而彊壯稱賢傑也或作䏻耐文六

瀧水名 鬅鬔鬅毛不整 而安也易宜建侯而不寧鄭氏讀 ○崩𨹹𨻧悲朋切說文山壞也古从𨸏或作𨻧亦書作崩

文八 傰向黨也 痭女病血不止 ⿰朋斤斷也 ⿰朋刂斫也 鵬鳥名 ○漰披朋切水激有聲也文三 堋振動也

弸弸環弓聲 ○⿱乙朋朋蒲登切輩也說文為古鳳字鳳飛羣鳥從以萬數故以為朋黨字隸作朋文十 鵬鳥也莊子北溟之鯤化而

為鵬說文亦以為古鳳字隸从朋 倗說文輔也 鬅鬅鬙鬆亂 塴射埒 棚博雅閣也 輣兵車也 ⿰走朋走也 傰姓也前漢

有南山盜傰宗 ○瞢矒彌登切目不明也或作矒文十九 夢爾雅夢夢亂也 儚懜懵儚𩕔爾雅儚儚

惽也或作懜懵儚𩕔 甿野民 萌⿱萌心爾雅萌萌在也或作⿱萌心俗作萌非是 ⿱艸儚勉也 鯍鱛魚名說文鯍也或从曾 ⿰豐色

艷艷亂也 ⿱艸曼博雅蕿也 鄸邑名在曹 媒媒媒晦皃 瞢瞢曾日無光 ○僧思登切浮屠道人文三 鬙鬅鬙

鬆長 ⿰豐色鬙艷神亂 ○增咨騰切說文益也文十九 譄說文加也 曾則也又姓 憎說文惡也 罾說文魚网也 矰

𢧀說文隹䠶矢也或从弋 ⿱曾火說文置魚笱中炙也或書作熷 ⿰曾羽博雅翻翥飛也一曰舉也 潧水名 橧增聚薪以居

也夏則居橧巢或作增 磳碅磳石皃 ⿱艸曾艸名博雅𦭵曾也 繒帛也 噌泓噌空囂意 璔玉皃 ⿰女曾女字 層重屋

○層徂棱切說文重屋也通作曾文十四 繒帛也 ⿰衤曾楚人謂襦曰⿰衤曾 曾說文詞之舒也 ⿰日曾瞢曾日不明 ⿰目曾瞢曾

目不明 嶒崚嶒山皃 驓爾雅馬四骹皆白者 橧⿰犭曾博雅圈也或从豕 ⿺辶曾窮高謂之增 ⿱竹曾簦簹笠也 譄

加言 ⿰月曾肥也 ○搄揯居曾切說文引急也或省文七 縆絙說文大索也一曰急也或省 亙剖也 鮔魚名說文

䱍也 恒弦也詩如月之恒沉重讀通作絙 ○恒𢛢𠄨胡登切國諱說文常也从心从舟在二之間上下心以舟施當也引詩如月之恒一

曰山名古作亙亘文七 峘 爾雅小山岌大山峘 很 很山縣名在武陵 姮 女字 楦 楦山藥艸 ○ 薨 呼肱切說文公侯碎也一

曰壞聲文八 儚 䁅 說文惽也或从頁 颹 颫 大風也或从厷 瀇 水聲 𦐇 翃 博雅薨薨飛也或作翃通作薨 ○

厷 ム 肱 姑弘切說文臂上也古作ム徐鍇曰象人曲腕而爲之乃得其實不爾即多相亂或作肱文五 軦 車軾中靶 𨋣 或从革

○ 鬅 七曾切毛張皃文二 竑 度廣也 ○ 弘 胡肱切說文弓聲也一曰大也文四 軦 車軾中靶 苰 𥦗藤艸名胡麻也

閎 門也 ○ 鞃 𩊚 軦 𨋣 苦弘切說文車軾也引詩鞹鞃淺幭或作𩊚軦𨋣文六 苰 苰藤艸名 𥦗 室響 ○

泓 乙肱切下深皃文一 ○ 鞥 一憎切馬轡也文一 ○ 𡘋 𦚾 肯登切倰𡘋彊大皃或从力文二

十八 ○ 尤 𡯁 于求切說文異也徐鍇曰乙欲出而見閡見閡則顯其尤異也一曰甚也過也又姓古作𡯁文二十 杬 木名 腄

縣名在東萊或作脏 肬 疣 黕 說文贅也或作疣黕 怣 不動也 郵 𨙭 說文境上行書舍从邑垂垂邊也一曰事之過者爲郵亦姓一曰田閒舍或作𨙭

訧 說文罪也引周書報以庶訧通作尤 蚘 蚩蚘古諸侯號通作尤 䒵 芜 艸名或作芜

駀 馬名 豼 豕名 㚤 女字 𨒥 經過也 沋 說文水名 ○ 休 庥 茠 虛尤切說文息止也从人依木或从广从艸文二十三

大一百二十八 小七百 集韻平聲四 十六 貴院

咻 煦 痛念聲或作煦通作休 脙 脉 胳 腹脊閒謂之脙或作脉胳 髹 𩭝 髤 說文桼也一曰赤多黑少之色或从休亦省

貅 𧲤 㹯 摯獸名或省亦从犬 𩢍 說文馬名 鵂 舊 鳥名博雅怪鴟也或作舊 㾄 息下病 㳜 水皃

烋 美也和也善也通作休 㐲 廢也 𡛋 女字 烌 吳俗謂灰爲烌 ○ 𠀉 𡊄 丘 𡈚 祛尤切說文土之高也非人所

爲也从北从一一地也人居在丘南故从北中邦之居在崐崘東南一曰四方高中央下爲丘一曰空也又姓古作𠀉或作丘𡈚亦書作坵文十八 區 域也 邱

𨚙 說文地名或作𨚙 訄 博雅迫也 蓲 說文艸名 蚯 蚯蚓螼名 龜 龜茲西域國名 㤹 惆 戾也或作惆 𣪠 揉屈

也 驅 疾馳也 㐀 聲也 沍 水也 姮 女字 ○ 惆 尼猷切戾也文五 𣪠 揉屈也 怓 愁也 㖻 㖻呢小兒聲

㽱 小痛 ○ 鳩 𪃴 居尤切鳥名說文鶻鵃也文二十一 勼 九 㤹 救 說文聚也或作九㤹古作救通作鳩 艽 穋

藥艸或作穋 捄 盛土蘽中 丩 相糾繚也 𠡍 絕力也 芁 艸相糾 㽱 㽱瘤肉起一曰腹中急 璆 玉名 摎 說文

縛殺也 牞 大牡謂之牞 𨊠 車長軫也 𠠐 𠠐流回轉皃 𥬉 竹名 朻 樛 曲木或作樛 ○ 求 渠尤切索

也亦姓文六十六 𡩱 搜室也 裘 說文皮衣也一曰象形與衣同意亦姓 俅 𩓻 說文冠飾皃引詩弁服俅俅或从頁 絿

訅說文急也引詩不競不絿或从九 扏扏扏緩持也一曰不固 仇𣭚說文讎也一曰仇匹也亦姓或作𣭚通作逑 㤹
㤹怨也或作㤹亦書作悷 叴說文高气也臨淮有叴猶縣一曰三隅矛或書作叴 訄說文迫也一曰安也謀也或書作訅 逑說文聚斂
也引虞書旁逑孱功 趥趜足不伸也或作趜 跦蹋也 毬皳丸蹴或从皮 脙膌說文齊人謂臞脙也或从咎
捄長皃詩有捄棘心 觩斛梂角皃或作斛梂 肍說文孰肉醬也 頄頯面顴也或作頯 鼽歍說文病寒鼻窒
也或作歍 𡚱爾雅終也 釚釓鈗弩機謂之釚或从斗从仇 銶鑿屬通作釚 球璆說文玉聲也一曰美玉或
从翏 賕說文以財物枉法相謝也一曰戴質也 𨙸說文地名一曰鄉名在陳留 𨛱鄤𨛱亭名在上黨 梵亭名在新市一曰荆也
馗鳩爾雅中馗菌也或作鳩 艽說文遠荒也引詩至于艽野一曰獸蓐 芁芁藭艸名 莍說文茮樧實裹如表者
梂說文櫟實也一曰鑿首 朹木名爾雅朹繫梅 崷山名 浗水名 犰犰狳獸名鳥喙鵠目蛇尾 蛷𧓛說文多足
蟲也或从虫 篍小籠 窯深也 牀廣雅牀樹也 趀達也 訬止也 庥備夏 戎矛飾 颫小風 盞
姓 𡚱女字 汍水厓也 捄盛土於梩中 ○牛魚尤切說文大牲也牛件也件事理也又姓文三 芊艸名一曰牛藤藥艸 汼



水 ○𢝊懮於求切說文愁也或作懮通作憂文二十五 優說文饒也一曰倡也又姓 𡖂𢓭說文和之行也引詩
布政憂憂或从彳 瀀說文澤多也引詩既瀀既渥 麀𪊓爾雅牝鹿也或从幽 櫌耰說文摩田器引論語櫌而不輟
或从 鄾說文鄧國地也引春秋傳鄧南鄙鄾人攻之 怮怮怮憂也一曰含怒 嚘說文語未定皃通作嚘 獶犬名 蘡
菜名 纋笄中央狹曰纋 妋鼻目間有恨也一曰貪皃 燠奥燠休痛念聲或作奥 蚴蚴蚴龍皃 呦鹿鳴 丝微也
𣣞歐𣣞𣣙也一曰气逆老子終日號而不𣣞 廖地名 鷗鳥名水鶚也山海經玄股國人衣魚食鷗 ○由夷周切因也用也又姓文八十六
㽕柚說文木生條也从弓由聲引商書若顛木之有㽕枿古文言由枿徐鍇曰說文無由字今書由作㽕枿蓋古文省弓而後人因之从弓上象枝條華
函之形或作柚 䚻徒歌一曰從也或書作𧦬 䍃說文瓦器也 冘冘豫不定通作猶 抌舀𢭏揄抒臼也或作舀
𢭏揄 𣣁𣣁歋舉手相弄 𦳝逌說文艸也或从首 卣𠧢說文氣行皃古作𠧢 揂掩也 卣偤中尊也或
作偤 覘深視 苗瑞艸爾雅苗芝謝嶠讀 䚻觀說文下視深也 𨻮𨻰玉名山海經平丘有遺玉或从卤 遊游旒
汓說文旌旗之流也或省亦作旒古作汓 遊迂遊行也或从子从㳺通作游 邎說文行邎徑也 繇爾雅迪繇道也一曰

喜也

猶貁 獸名說文玃屬一曰隴西謂犬子爲猶一曰似麂居山中聞人聲豫登木無人乃下世謂不決曰猶豫或从豸一曰猶若也可止之辭也

猷 道也謀也通作猶 悠 說文憂也一曰遠也 攸汥攸泅 說文行水也徐鍇曰攴入水所杖也又姓秦刻石嶧山文作汥

或作攸古作泅 逌 所也通作攸 滺浟 流皃詩淇水滺滺或作浟通作悠 油 說文水出武陵孱陵西東南入江一曰膏也一曰油油和

謹皃 柚 柚梧竹名一曰橙屬 秞 禾盛曰秞一曰物初生皃 蕕蓨 說文水邊艸也一曰臭艸或作蓨 莤 水艸名爾雅莤蔓于 蘨

艸盛 櫾 說文崐崘山河隅之長木也 楢 說文柔木也工官以爲耎輪 槱禉 燎柴也或作禉 輶 說文輕車也引詩輶車鑾鑣

痼 博雅病也 偤 侍也 圝囮 捕鳥媒也或作圁 廇庮 簷梠謂之廇一曰久屋朽木也或从卣 邮[卣阝] 亭名

在馮翊高陵縣或作[卣阝] 鮋鯈 小魚或从攸 鵃 鵃夷鳥名 蝣[虫㐬] 蟲名爾雅蜉蝣渠略也或从㐬 颵 颵颵風聲 蚰

蚰蜒蟲名 璆 美玉 蝓 蚹蝓蠃也 儵 疾皃莊子儵而往李軌讀 鯈 白魚也 笣 爾雅屋上薄謂之笣 岫 爾雅山有穴爲岫

俞 然也 猇 縣名在齊南 [犭攸] 山海經碮山有獸狀如馬而羊目四角名曰[犭攸][犭攸] [攸女] 女字 [艹斿] 艸名 [舟斿] 舟行也 溲

治帛也 蝤 蝤蛑水蟲 怞 憂皃 翛 翛翛鳥飛皃 ○[illegible] 彌攸切足腫也文一 ○輈䡘 張流切說文轅也籀从䡘



文二十二 趥 趥趥行不進也 [目壽] [目壽]眼目動皃 咮 鳥喙 啁 啁噍鸎雀聲 怞 憂也 調 朝也詩怒如調飢 譸

嚋𠹌 說文詶也引周書無或譸張爲幻或作嚋古作𠹌 盩 說文引擊也扶風有盩厔縣一說山曲曰盩水曲曰厔俗作盩非是 [illegible]

射鳥矢或書作[illegible] 侜 說文有廱蔽也引詩誰侜予美 跦 跦行皃春秋傳鸜鵒跦跦 倜侏 菲也太玄物咸倜倡或作侏 鵃 鳥名

說文鶻鵃也 駲 駲騪馬名也 [言舟] 多言也 煪 燥也 璆 美玉 ○㨨抽[扌秀] 丑鳩切說文引也或从由从秀文二十 紬

引絲緒也 妯 動也悼也 婤 女字 脩[耳丩] 說文眣也或从丩 [目脩]傲眣 失意視也古作傲眣 [攸足] 足病 瘳 說文

疾瘉也 廖 闕人名春秋周有瑕廖 揄 垂手行也 儵 山海經彭水多儵魚其狀如雞三尾六足四首 譸 譸譸不決 倏 犬走

[竹翏] 竹相合也 惆 說文失意也 ○儔[壽朋][亻𠷎] 陳留切說文翳也一曰侶也或从朋古作[亻𠷎]文六十五 怞懤 動也憂也

或从壽 [月壽] 膉也 躊[足𠷎] 廣雅躊躇猶豫也或从𠷎 幬幬㡌 說文禪帳也或作幬㡌通作裯 裯 襌被 紬

說文大絲繒也 綢繆 說文繆也或作繆 [礻由][礻留] 祝也或从留 妯 動也 田𠷎𠷎疇 說文耕治之田也从田象耕屈之形

或省亦作疇 𠷎疇嚋譸 說文詞也引虞書帝曰𠷎咨或作疇嚋譸 𠷎 說文誰也通作疇𠷎 稠 說文多也 薵

作疇或省 𠷎嚋疇 曰誰也或作疇書作𠷎 𠷎 說文誰也引虞書帝曰𠷎咨 通作疇 禂 說文禱牲馬祭也

或作紬 絒 綢 說文大絲繒也 紬 絒 禂 或从由 紬 說文大絲繒也 油 田 說文耕治之田也

或从壽 疇 說文禱也 或作禂 䌷 𠫤 [illegible] 通作疇 [illegible] 禂 說文禱也 [illegible] 也 [illegible] 也

𠫤 合也 相 意也 說文 [illegible] 〇儔 儔 侶也 或作 [illegible] 古作 [illegible] 文六十五 油 [illegible] 也

也 𠩳 [illegible] 周 有 [illegible] 春秋 [illegible] 也 [illegible] 也 [illegible] 文 [illegible] 周 [illegible] 四 音 [illegible] 不 [illegible] 大

𢐂 引 [illegible] 也 [illegible] 女 [illegible] 說文 [illegible] 古 作 [illegible] 也 [illegible] 說文 [illegible]

讎 說文 [illegible] 也 [illegible] 多言也 [illegible] 〇 [illegible] 由 [illegible] 說文 [illegible] 文二十

書作 [illegible] 說文 [illegible] 也 [illegible] 周 [illegible] 說文 [illegible] 也

嚋 疇 說文 [illegible] 古作 [illegible] 周書 [illegible] 也 [illegible] 說文 [illegible] 林 [illegible] 一說

十二 文二 [illegible] 不 [illegible] 也 [illegible] 疇 [illegible] 動 [illegible] 日 [illegible] 周 [illegible] 也 [illegible] 周 [illegible] 朝 [illegible] 也 [illegible]





也 𧋍 [illegible] 由 [illegible] 〇 [illegible] 也 文 一 [illegible] 也 [illegible] 說文 [illegible]

俞 [illegible] 名 [illegible] 山 [illegible] 也 [illegible]

[illegible] 王 美 [illegible] 也 [illegible] 也 [illegible] 由 [illegible] 風 [illegible]

[illegible] 名 [illegible] 或作 [illegible] 也 [illegible] 由 [illegible] 或从 [illegible] 白 [illegible] 酉 [illegible] 一曰 [illegible] 車 [illegible]

酒 [illegible] 也 [illegible] 酉 [illegible] 宮 [illegible] 說文 [illegible] 木也 [illegible] 酉 [illegible] 說文 [illegible] 車 [illegible]

𩴆 [illegible] 說文 [illegible] 山 河 [illegible] 木 [illegible] 木也 [illegible] 或作 [illegible] 說文 [illegible] 車 [illegible]

柚 [illegible] 一曰 [illegible] 名 [illegible] 木 [illegible] 一 [illegible] 生 [illegible] 或作 [illegible] 說文 [illegible] 也 [illegible] 酉 [illegible] 水 [illegible] 名

古作 [illegible] 或作 [illegible] 也 [illegible] 通 [illegible] 也 [illegible] 作 [illegible] 說文 [illegible] 其 [illegible] 油 [illegible] 說文 水 出 [illegible] 一曰 [illegible] 也 [illegible]

也 [illegible] 通作 [illegible] 也 [illegible] 一曰 遠也 [illegible] 說文 [illegible] 也 [illegible] 文 [illegible] 也

酉 [illegible] 木 [illegible] 入 [illegible] 不 [illegible] 曰 [illegible] 或从 [illegible] 一曰 [illegible] 也 [illegible] 人 [illegible] 也 [illegible] 也

書 [illegible] 說文 [illegible] 一曰 [illegible] 西 [illegible] 大 [illegible] 一曰 [illegible] 山 [illegible] 也

薵 艸名博雅籌藸蒢也或从屬 䔬蕏 艸名博雅搯蓨也蕍也或从搯 籌 說文壺矢也 篙篙 說文篙箸或作篙通作籌 檮 剛木也或書作𣘳 椆 木名寒而不凋 聚 姓也 鬋鬍 說文髮多也或从周 燾 溥覆照也或書作儔

飀颼 風也或从屬 鵃鸘屬 南方雉名或从屬亦作屬 鯈 說文魚名一曰魚子或書作鮴 鮋 魚名 鰽 魚之大者

鄯 蜀江原地 搯抽 引也或作抽 盩 諸盩周先公名 敦 覆也禮毋敦一几劉昌宗說 婤 女字春秋傳衛襄公嬖人婤始

趎 闕人名莊子有南榮趎 擣 聚也史記上有擣著 𧯉 谷名 嬦 女字 𥼚 厚鬻 𣀓 棄也 毃 縣擊物 濤 潮也

𤸌 心悸 酬 報也易是故可與酬酢徐邈讀 儵 闕人名春秋傳有伯儵 ○留 力求切說文止也又姓文八十七 遛 逗遛不進通作留

鎦劉 說文殺也或作劉劉又姓亦邑名 𨶹 說文經繆殺也 摎𢷾 束也捋也亦姓或从劉 勠 并力也古作𠠱

憀 賴也且也 懰惀 懰慄憂皃一曰怨也或从留 瘤䐬 說文腫也或从肉 鏐鉚 說文弩眉也一曰黃金之美者或从丣

翏 翏翏飛皃 瑬 說文垂玉也冕飾通作旒 旒斿游統㐬 旌旗之斿廣雅天子十二旒至地諸侯九旒至軫大夫七旒至轂士五旒至肩或作斿游統㐬 璢琉 璢璃珠也或作琉 珋 說文石之有光璧珋也出西胡中 甋 泉也 𤮔 博雅甁豆也

大一三十一 小十二十三



裗 袿衣之飾 餾 飯饋熟為餾 𤲞 說文燒種也漢律曰𤲞田茠艸 粶 博雅粰粶饊也 硫磂 硫黃藥石或作磂通作流

䉧𥴥 竹名或作𥴥 嵧 岣嵧山皃 榴 石榴果名 橊 扶橊藤緣木而生其味辛可食 𦼮蒥 說文竹聲也或作𦺖

藰 艸名藰弋也或作𦺖 蒥 香艸一曰蒥荑藥艸 㳅流汓 說文水行也或作流汓 瀏漻 水清皃或从翏

飂飀飅 說文高風也或从留从劉通作翏 膢 立秋祭名通作劉 鷚 鳥名爾雅鷚天鸙大如鷃色似鶉 騮駵 說文赤馬黑毛尾也或作駵

䶉𪕝 說文竹鼠也如犬或从留 鶹 說文鳥少美長醜為鶹離 𪈳 水鳥 鸓 鳥名博雅鸓鶹鵂飛鸓 綹 綺屬

鯫鰡 魚名或从留 蓅 菜名 蝣蜉 蜉蝣蟲名朝生暮死 𤕤 翏翏手足柬皃 穋 禾名一曰禾盛皃 蚽 不蟲名似蟹而小十二足

蟉 蟲名說文蚴蟉也 瀏 水名出鬱林 觩 觩觩角皃 蔞 萬蔞所以正車輪者 聊 木名爾雅朻者聊

犛 犛然栗然也 廖 闕人名春秋傳有瑕廖 鷚 鶖鵁也 鎏 美金謂之鎏 橊 木名 𢣇 定意 𤞲 執猫狗名言善執留禽獸

罶 捕鳥獸具 昴 星名詩維參與昴 熮 火皃 繆 枲十絜也 嬼 女字 𡠄 美也 ○脩 思留切說文脯也一曰長也又姓文二十一

修脩 說文飾也古省或通作脩 羞膳饈䐰 說文進獻也一曰致滋味為羞或从肉从食亦作䐰

[illegible]

集韻平聲四　十九　春

[illegible]

羞一曰恥也　餈饈廣雅饙謂之餈或从修　糔滫說文久泔也一曰溲也或作㴨　鎀博雅鎀鉏鋘也　樇木名　𥢄

禾名或不省　輶輶輕載麥三箱車河南穫麥用之或說載喪車非是　蓨說也　鱐魚腊　嫍女名　颾風也　𣯧

𣯧毹羽悴皃　○秋龝𪛁雌由切說文禾穀孰也籀作烁一曰秋秋馬騰驤也所謂秋駕以善馭不要逸也又姓古作龝𪛁文三十六　緧

䋺𦃃鞧鞦說文馬紂也或从秋从叟亦作鞧鞦　趥䠓說文行皃或从足　篍吹筩　楸橚木名說文

梓也或作橚通作萩　萩艸名說文蕭也　𪀰鶖鳥名說文秃鶖也或从秋　𩿨鷄雛　湫集也春秋傳壅閼湫底徐邈說一曰

沱水　鰌鰍魚名說文鰼也或从秋　鱃魚名博雅鱃鮂鰌也山海經蓍體之水多鱃魚狀如鯉大首食之不疣　𦪷收繳具　鼁

䶂𪚏夫䵷蟲名詹諸也或作䶂𪚏　脙脩股脛間或从酋　蟗蝵𧒂蟲名爾雅次蟗䵹鼄或从秋亦作𧒂

酋長也　愀色變　取取慮縣名在臨淮　楢木名山海經崌山多楢杻中車材　𡜲女字　遒白也　○揫將由切說

文束也引詩百祿是揫一曰聚也或書作揫文三十　揂揫說文聚也或作揫　醔酒官　遒䢋縣名在涿郡或作迺䢋　鏶

東枲也　䪂𩏊說文收束也或从要通作揫　鬏髮接䰅也　噍燕雀聲禮啁噍之頃通作啾　𦕆聕耳鳴或作聕



啾說文小兒聲也或書作咻　𩿨方言鷄雛徐魯之間謂之𥢽子　𤞞犬名　湫水名在周地一曰安定朝那有湫泉或書作湬　楢柔木

一曰木堅中車材　蝤蝤蛑大蟹一曰蟲名木蝎也　鮂鳥化為魚者頸有骨毛　䅒禾生皃　酋終也　蕕酒滓也鄭司農曰稲

醴清蕕　焦鐎釜屬或从金　㥢慮也　蟭蟲名蜱蟭螵蛸也　𥨍窷空穴中鼠聲　煪火皃　趥徒行　○囚

徐由切說文繫也文二十　慒悃爾雅慮也或作悃　傮嫸終也或从女　汓泅游湭說文浮行水上也古或以汓為

没或作泅游湭　鮂魚名烏賊也　陏厹陏縣名在臨淮　莤爾雅莤芝瑞艸也一歲三華　逎逡逎縣名在淮南　鰽鱛

魚名似鯿而大鱗肥美多鯁或作鱛　酋方言久熟曰酋　殏殘也　𦵔滓也　莤艸名生水田子可食　逎拘留也　○酋

醔字秋切說文繹酒也禮有大酋掌酒官也或作醔文三十一　湭䓘博雅湭酒液也一曰水名在雍州或作䓘　愐𢡟博雅愐鈍

惡也一曰傲也或从猷　遒逎說文迫也或从酋　𦕆耳鳴謂之𦕆　𦪷說文淮射收繳具　崷崷崪山皃　緧馬紂

愀變色皃　煪燥也或書作𤏭　禉祭天燎柴　鰌魚名　蝤螬蟲名說文蝤蠐也隸从曹　揫䨂爾雅聚也

一曰細也或作雛　貓良犬也　鏶東枲也　鬏髮接䰅也　楢木名　傮嫸終也或作嫸　㵞腹中有水氣

鮥鱔魚名或从曹 啾小聲 揂聚也 ○收扌尸周切說文捕也一曰夏后名古作扌文六 攸縣名在長

沙 收瞭收斂容視皃 犫牛名 莪艸名荆葵也紫色 ○犨犨蚩周切說文牛息聲一曰牛名又姓亦地名或不省文四

趎闕人名莊子有南榮趎 犨畜無子謂之犨 ○周周之由切說文密也又地名亦姓古作周文二十八 匊說文帀徧也通作周

俗作週非是 賙振贍也 州𠕁𠛎說文水中可居曰州周遶其旁从重川昔堯遭洪水民居水中高土故曰九州引詩在河之州一曰州疇

也各疇其土而生之古作𠕁𠛎又姓 洲渚也說文通作州 舟說文船也古者共鼓貨狄刳木爲舟剡木爲楫以濟不通 朝說文重也一曰

低也 糊粖糊粉餌 婤說文女字也春秋傳嬖人婤始 罬州罬州罬州呼鷄聲或省 鄅國名黃帝後所封 [魚舟]魚名山海經英鞮之

山涴水出焉是多鮡魚 琱玉也 翢弱羽也 硐石也 淍水名一曰水西 徟徟徫行皃 椆說文木也 烐火行 [艹舟刂]

[艹周]艸名似葵五色 𣪍禦也 脽尻也 洀水文也 ○讎𠷎𠷎𠷎時流切說文猶譍也一曰仇也古作

𠷎周惪文二十四 醻醻酬說文主人進客也或从壽从州 詶𠷎說又詩也或作𠷎 𣪍𣪍說文縣物𣪍擊或从

壽 𣪍𣪍魗說文棄也周書以爲討又引詩無我魗兮或从壽亦作魗 𨞾說文蜀江原地 𠷎耕田器名 鮋魚名 [illegible]



地名 𠷎雉名 雔說文雙鳥也 [木州]木名 𠷎詞也 𤰝𠷎耕治之田象形或省 ○柔而由切說文木曲直也一曰安也文

三十四 媃女名 揉以手挻也 鍒鑐說文鐵之耎也或作鑐 瑈𤨦說文玉也或从柔 蹂踐也詩或簸或蹂

腬說文嘉善肉也一曰盛也 脜𩓚說文面和也或从頁 鞣[羊柔]說文耎也謂柔革或从羊 [田柔]說文和田也一曰鄭

地名 葇蘔香菜菜名或作蘔 騥爾雅馬青驪繁鬣曰騥 鶔鳥名爾雅鶔鶔鷂鶔射之衛矢射人 鬏馬繁鬣一曰黃駿

蝚蟲名說文蛭蝚至掌也 鄊郲鄉名或作郲 輮車輞也 濡[壽刃]柔忍也或作[壽刃] 猱夒獿猱彌猴

類或作夒通作蝚 僥僬僥國名 渘水名 雓鳥名亦姓 𡊒丘名前高後下 糅食也 鰇魚名 [柔心]心安 ○

搜搜𢯱踈鳩切說文眾意也一曰求也引詩束矢其搜或作搜古作𢯱文三十九 廋廣雅匿也一曰說索室曰廋 蒐艸名說文茅蒐

茹藘人血所生可以染絳一曰春獵曰蒐 蓃艸名爾雅蔜蓃蔞 鄋𨜴說文北方長狄國也在夏爲防風氏在殷爲汪茫氏引春秋傳鄋瞞

侵齊或作鄋 [走叟]趨[走叟]不進 醙醻白酒也一曰黍酒古作醻 [月肅]鱐說文乾魚尾[月肅][月肅]也周禮有腒鱐或从魚 餿餿

飯壞也或作餿 叜叜溞叜叜淅米聲古作叜或作溞通作溲 鎪鏤也一曰馬耳也 颼颾博雅颼颾風也或作颼 [辶叟]

叟 [illegible] 廋 [illegible] 颼 [illegible]

[illegible] 醙 [illegible] 餿 [illegible] 傁 [illegible]

[illegible]

[illegible]



[illegible]

⿰牛叜犙牛三歲也或从參　⿰豸叜獀獸名　獀說文南越名犬獿獀一曰春獵　螋蟲名博雅蛷螋蟏蛸也

氍毽毛織有文者

鮻鬬人名韓將有鮻申差　滫淅米汁　傁鬬人名春秋傳齊有公孫傁　蒐蒐茮椒子聚生成房皃　瘦瘠也太玄山殺瘦

騪駒騪馬名　溲溞溺謂之溲或作溞　篗竹名　⿰叟刂刈也　樉木名似白楊　橚木長皃　○搊初尤切博雅搊拘也俗作㨶非是文十

篘廣雅篗謂之篘　掫手取物也　⿱竹芻篘篗醔漉取酒也或作篘篗醔　⿰米芻濾取粉也

謅謅謅私語　⿰木芻牛皁繫繩具　○鄒甾尤切說文魯縣古邾國帝顓頊之後所封一說魯穆公改邾作鄒又姓文三十四

郰鄹說文魯下邑孔子之鄉或作鄹　陬隅也一曰魯國　齱說文齵也　齺說文齒擠也一曰齵也一曰馬口中橜也　⿰足芻獸足

緅色也周禮染羽五入為緅　縐細絺也　⿰舟芻船名舷謂之⿰舟芻　菆說文麻蒸也一曰蓐也一曰餘也一曰矢之善者通作菆也

⿱竹取竹黃　棷說文木薪也　棸木名亦姓　掫持也　⿱艹叢艸木子聚生　黀⿸麻芻說文麻蒸也或从芻　騶說文廄御也亦姓

⿱芻心⿰亻芻愁皃或省　媰說文婦人姙身也引周書至于媰婦　⿱竹⿰芻皮取魚器　謅小言私授謂之謅　⿱芻心嬰兒

帝也　⿰玉取玉文　娵女名　皺韗也　⿰禾芻禾穰也　棫木名可作大車輮　啁啁噍鳥聲　⿰革芻皺革文蹙也或作皺

芻艸名　○愁鋤尤切說文憂也或書作愁文二　⿰氵愁說文腹中有水氣也　○鴀方鳩切鳥名夫不佳也或从鳥不一曰姓

也辭也文十三　哹吹聲　紑衣絜鮮皃　𣪍未燒瓦器也　垺大也盛也　⿱不目見也　捊撫引取也古作撫　胞胎衣也

衃凝血　箁竹有文者　㐬流也　○浮房尤切說文氾也亦姓文五十三　雬雬雬雨雪皃通作浮　涪說文水出廣漢剛邑道徼外南入漢

⿰山孚山名　桴說文棟名　泭編木以渡通作桴　艀舟短小者　錇小缶也　枹艸名爾雅楊枹薊也

稃穀皮也　莩艸名　掊把也鹽官入水取鹽謂之掊通作捊　箁竹有文者　芣說文華盛一曰芣苢　⿱竹吾竹名

⿱艹卷姓也　棓大杖也　⿺走孚行皃　粰博雅粰粧饊也一曰饕也　烰說文烝也引詩烝之烰烰　⿸疒孚火瘍　哹吹聲　鋢

錇鋢鏂大釘或作錇　琈美玉名　𦏁廣雅𦏁𦏁多也　⿱罒包罦說文覆車也引詩雉離于⿱罒包或从孚　⿱罒否罘說文兔罟也一曰罘罳闕前飾或省

⿰虫不水蟲名　⿰孚鳥⿰氵⿰孚鳥⿰孚隹博雅⿰孚鳥鷗也或从⿰氵孚从隹　⿰魚孚魚名　⿱⿰孚孚蚰蜉蟲名說文蚍蠹也或从孚

⿰女孚女字　⿱孚女⿱⿰孚孚女玉采也或作⿱孚女通作琈　包包來邑名在紀國通作浮　培闕人名魯有申培公　衃艸名爾雅荍蚍衃多華少葉通作⿰虫不

鄜剻鄉名在右扶風在沛城父或作剻　枹擊鼓杖通作桴枹　⿱雨不霧也　裒褎聚也或作褎

梵木得風也 諏謀也 捊抱引取也或从包○彪風披尤切風吹物皃文十四 秠一稃二米 肧衃肧胎未成物之始或从血 殼坏瓦器未燒或作坏 紑說文白鮮衣皃引詩素衣其紑 醅醉飽也 癦寐聲 朴夷姓也魏有巴夷王朴胡 砰破聲 親視也 親竹名 呼喉中聲

十九○矦灰㑊胡溝切說文春饗所䠶矦也从人从厂象張布矢在其下天子䠶熊虎豹服猛也諸侯䠶熊豕虎大夫䠶麋麋惑也士䠶鹿豕爲田除害也其祝曰毋若不寧矦不朝於王所故伉而䠶汝也一曰推也維也古作灰或从巾 文四十二 猴獸名說文夒也 翭鶏說文羽本也一曰羽初生皃或从鳥 鍭說文矢金鏃翦羽謂之鍭 鉆頸鉗也博雅鉦鍜謂之鉆鉆 䙈䙈褕短衫 骺骺骨端謂之骺骷或从侯 瘊疣病 頶頶頟揚言也一曰健皃 欸欸欸氣出皃 喉䑕說文咽也或从肉 餱糇說文乾食也引周書峙乃餱粻或从米 睺半盲也一曰深目 郈地名在晉 𧮫𧯠谷名在城皋或从矦 楆楆桃果名 葔艸名蓠葔莎通作矦 緱刀劍首飾 篌箜篌樂器或說空國之矦所好故謂之箜篌通作侯 𩿨鳥名出崑崙 鯸魚名 蝂說文蟲名方言守宮東齊海岱之間謂之螔蟧 追覯邂逅解說皃或作覯 𤬛𤬣王瓜也或从矦 𡾲山名 猴寻蜀 媄女字也 𦕅寫皮䐈 颵風皃



㤊㤊㥒怒皃 祩祭求福也 怡和解皃 郈鄉名在東平○謳烏侯切說文齊歌也 文三十七 嘔博雅嘔嘔喜也一曰小兒語一曰嘔夷川名 歐姓也一曰歐刀 醧私燕飲也 頣頭頸面折 慪悋也 漚水泡也 區量名四豆爲區又姓 甌說文小盆也又姓 塸聚沙 瞘曉目深也或作曉 𥬗竹器吳人以息小兒 𥫵吳人謂育蠶竹器曰𥫵 膒久脂也一曰以脂漬皮 𧜍𧞝袘衣謂之𧜍一曰編枲頭衣或从歐 鏂門鋪謂之鏂鉆 剾博雅剾剜刻也 櫙樞蓲木名爾雅櫙荎今刺榆也或作樞蓲 鷗鳥名說文水鴞也 䜯地名 紆陽紆山名 優嚘伊優亞者辭未定東方朔說或从口 犕特牛也 歐足跡謂之歐 熰炮也 纋屈弁以安髮 𡫧闇區夷人屋 𣃈歐斪倨鉏也 鰸水蟲似蝦無足 𨻳匚區窊深下皃 慐愁也 㜷巴人歌○齵魚侯切說文齒不正也 文四 吽犾吽牙者兩犬爭東方朔說 腢肩頭也 嵎嶇嵎山皃○彄彀墟侯切說文弓弩耑弦所居也或作彀 文二十五 摳挎說文繑也一曰摳衣升堂或作挎 袧辟兩側空中央曰袧儀禮喪服裳幅三袧 剾鏂𣃈鏂剾剜也或作鏂𣃈鏂剾 韝捍臂也 𢂐𢅢射決也或从區 滱水名在常山 夠多也 鷇鳥哺 駒曉瞘坦倉目深皃或作曉瞘 䪷挹也 緱緱氏地名 毆地名春秋傳盟于毆蛇 嫗闕人名陳有夏嫗夫通作彄

⿱敄糸博雅⿱敄糸縷縮也 芤病脉徐氏說按之即無舉之來至傍實中空者曰芤 ○齁呼侯切齁鼾鼻息文五 ⿰侯鳥鳥名 縷屈笲

以安敂 睺方言半目為睺 呴喉中聲 ○鉤鞲居侯切說文曲也一說鉤縣物者亦鉤屬或作鞲文四十四 ⿰田句畦也 句

區說文曲也又姓或作區 摳 枸木曲枝曰枸一曰木名或省 拘拘摟聚也 夠多也 ⿰句刂說文鐮也 斪斪斸鋤屬

軥車名夏曰軥車通作鉤 ⿰舟句 艫博雅⿰舟句艫舟也或从冓 冓數名十秭曰冓一曰邑名漢有部冓侯 溝說文水瀆廣四尺深

四尺 褠襌衣幅辟兩側也 ⿰食句牛飽 韝說文射臂決 褠⿰巾冓單衣或从巾 緱說文刀劍緱也又姓亦地名 ⿰口冓

嘍唔聲亂一曰大聲 篝篝說文客也可熏衣宋楚謂竹篝牆以居也一曰蜀人負物籠上大下小而長謂之篝笭或作篝 筍竹名博雅筍𥯤

梂枝也 瓝字林瓝瓞王瓜也 ⿰句黽⿰句黽黽水蟲名似龜皮有文 鴝鴝鵒鳥名鸜鵒也 購贖取也史記購吳王千金 彄嫗

鬮人名春秋傳陳有夏嫗夫或作嫗 呴呴奴單于名史記呴犁湖 鬮說文鬪取也 蚼蚼犬獸名如犬食人 泃水聲也 ⿰足冓足曲

耩耕也 ⿰石冓⿰石冓碣堅也 搆牽也 苟苟吻艸名 ⿱宀冓夜也 蒟蒟芺艸名也 彀張弓也 ○捊抱

抔蒲侯切說文引取也或从包从不文二十 䏔豕肉醬 餢餢䬸食曰 䍌瓿說文小缶也或从瓦 箁說文竹箬也 䎧






博雅鑼稖耕也 棓高下有絶加板曰棓公羊傳踊于棓而窺客一曰木名依樹生枝女如罔 垺大也盛也 踣斃也 涪涪瀝水泡 䯽

䫓說文縣皃或作䫓 掊說文杷也今鹽官入水取鹽為掊 裒褎臼爾雅聚也或作褎臼俗作褎非是 錇錇鏂釜名

○謀惎⿰口某毋⿱毋心⿱毋言迷浮切說文慮難曰謀亦姓或作惎⿰口某毋⿱毋心⿱毋言本書作⿰口母文六十二 恈愛也 鬏

⿱髟牟髳髮至眉也或省亦作髳 眸博雅目珠子謂之眸通作牟 侔件說文齊等也或省 桙⿰木牛器名或省

牟說文牛鳴也从牛象其聲气从口出一曰取也大也又姓 劺敄北燕之外相勉努力謂之劺一曰彊也或作敄 ⿰土牟堆壟也

洠廣雅陴洠厓也 雺霿蒙爾雅天氣下地不應曰雺或作霿蒙 醔醔酳醬也 麰⿱牟麥說文來麰也

或作鞪通作牟 ⿰月牟脊也 矛⿰矛戈⿰金矛說文酋矛也建於兵車長二丈象形或从戈从金 鉾劍端 鍪說文鍑屬或書作鍪

鞪鞻鞪鞪首鎧通作牟鍪 ⿱敄糸縛也 ⿰糸矛枲絜也 鶩鳥名爾雅鷚天鸙大如鶉或書作鷚 鴾鳥名鴾也 ⿰魚毋⿰虫毋魚名或省

蛑⿰虫某蝤蛑蟹屬或作⿰虫某 蝥盤蝥毒蟲 蟊𧒽𧕢蟊說文蟲食艸根者从蟲象其形吏抵冒取

民財則生或从敄亦作𧕢蟊古作蟊通作蛑 毋渟毋縢珍也 貿日不明皃一曰貿戎戎別種 務務婁邑名 瞀俯視 蟱⿰虫敄

蚰蟱蟲名蜘蛛也或从敄 瞴說文瞴婁微視也 毋毋頭夏后冠名 務車衡上衣謂之務 莽艸名 嫯女皃 豋豋踰豆秸

襃𧝝長衣籒作𧝝 闙開也 ○涑漱先侯切說文澣也一說以手曰涑以足曰澣或作漱一曰涑水名在河東文二十二

鏉鎪彫也或从叟 𩌏𩏺治革也或从敷 颼颼颼颼風聲 鬏鬆鬏鬏鬆亂或从変 撨推也擇也 嗾

嗽𠹹使犬聲或从速从造 漱涑泠也一曰冰氣或作涑 𡡒女字 捜搜求也莊子捜於國中李軌說或作搜

擻𢯭擻取也或省 獀南越謂犬為獀獀 敕攴也 ○誰千侯切博雅就也文一 ○緅𦃇將侯切枲未漬

也或从取文十五 緅帛青赤色 諏謱咨事為諏或作謱 陬隩說文阪隅也或作隩 掫趣說文夜戒守有所擊

引春秋傳賓將掫或作趣 鯫小魚也 棷藪謂之棷一曰木薪也 租包裹也 菆菹也儀禮御以蒲菆 𦛴脯也 𠝤斷也

○𠞰剹徂侯切字林細斷也或作剹文四 鯫魚名 漕水運也 ○兜當侯切說文兜鍪首鎧也文二十四 吺

𠯗說文讘吺多言也或作𠯗 侸𠊳佔侸極疲一曰僂侸下垂或作𠊳 𧡺䁈𥇐說文目蔽垢也或作䁈𥇐 𩮮鬏鬏髮亂

剅𠛿𧯠小穿也一曰剅也或作𠛿𧯠 郖𨛫說文弘農縣庾地或作𨛫 篼說文食馬器也 鬭交爭也 𧯠



跌也 𦄕結縷囊 桪木名 𣚎批也 鴠鴠鴠鳥名人面鳥喙有翼不能飛 頭頤頭面折 竇嘔竇深下 甂歐甂

偃鉏 ○偷愉他侯切苟且也或从心文八 鍮鋀石名似金或从豆 䱏魚名 媮說文巧黠也 緰布名 揄

垂也莊子揄袂 ○頭徒侯切說文首也文二十五 投投說文擿也一曰合也亦姓古作投 揄引也 𣪍說文繇擊也

酘酒再釀 𠜾博雅刻也 坄陶窯 骰博齒 褕𢅏襜褕短袖襦一曰近身衣或从巾 牏說文築牆短版也 𢊩

行圊受糞函也通作牏 窬穿也 𨡴醔𨡴醬名 緰說文緰貲布也 逗射也 歈歌也 匬說文甌器也 𪎉

說文䴱屬或書作𪎉 䴗鳥名似鳧 遚車米數名 𣪠𪉹鹵地或作鹼 莍艸名 ○婁婁𡣍

𡝤郎侯切說文空也从毋中女空之意也一曰宿名又姓籀作婁古作𡣍文四十八 樓𧬂說文重屋也又姓古作𧬂 廔說文屋麗

婁也一曰種也 𨛬鄉名南陽鄭縣 𨻻嬴陵縣名在交阯 塿說文𡐛土也一曰部塿小阜通作婁 漊水名出武陵蠻中 嶁山巔

也 遱說文連遱也謂不絕皃 僂僂𠊳下垂 髏𩕺說文髑髏也或从頁 瞜覻瞜瞜偏盲一曰細視或作覻 慺慺慺

謹敬皃一曰勤也 謱嘍說文謰謱也或从口一曰謹也 褸縷博雅袵謂之褸南楚凡人貧衣破謂之褸裂或作縷 𢅤方言飤馬橐自關

而西謂之幓蔲 鞻鞮鞻氏掌東樂官名 膢漢以立秋祭獸因以出獵還祭宗廟名貙膢或从示 軁軀軁傴也 摟說文曳聚

也 劃小穿也 艛舟也 簍說文竹籠也 耬種具 㼴㼴菌鉤㼴王瓜菰㼴土瓜或从艸亦作菌 蔞

蒿類 鷜鳥名野鵝也 貗求子豕通作婁 𦍥山海經崑崙之山有獸狀如羊名曰土𦍥 𩸂說文魚名一名鯉一名鰜 螻蟲名說文

螻蛄也一曰螌天螻 牢削約握之中央以安手也儀禮士喪握手用玄牢 寠窶甌寠猶抔摟也或从穴 𩣖馬類一曰大騾 𡟰

女字 䍡罷䍡罔也 ○羺奴侯切胡羊謂之羺文十一 𦾔艸名 獶南越謂犬爲獶獀 䨲江東呼兔子爲䨲或

作㲋亦書作䨲 𩋾柔革 獳獳怒犬皃或作獳 䰭鬼聲 譨譨譨多言也 䴇麛也 ○捊普溝切掬也文九

紑衣鮮絜皃 吥吸也 䫝須短白皃 浮漂也 哹吹也 鯆鯆䱐魚名 娝不肖 婄女皃

二十○幽於虯切說文隱也又州名亦姓文十四 𢆶說文微也 呦𣢑說文鹿鳴聲或从欠 怮說文憂皃一曰舍怒

不言 𩶇魚名 蚴方言蠭之小者燕趙之間謂之蚴蜕 麀𪊨說文牝鹿也或从幽 泑泑澤在崑崙下一名蒲昌海去玉門關三

百里 䖹蟲名說文䖹蟉也 黝䵊黑色 飍風聲 溔深也 ○聱倪虯切廣雅不入人語也文四 鷔汼魚鳥之狀

或作汼通作聱 謷不肖也 ○犙山幽切三歲牛文一 ○驫必幽切博雅驫馬驫走也文五 𤅄水聲 髟髮垂皃 彪

虎文也 飍風也 ○飍香幽切風也文六 虓字林豕羙也 休美也通作烋 驫博雅馬驫馬驫走也 烋微也 貅

鷙獸 ○𥟳𥞤子幽切禾生也或从幽文三 稚雞雛名 ○𩖓步幽切風也文一 ○區羌幽切域也文三 鷚天鷚

鳥名江東語 惆玄挨 ○瀌平幽切瀌瀌雨雪皃文三 滮水流也 烰火氣也 ○樛居虯切說文下曲曰樛通作朻文二十

朻說文高木也 摎𢪏束也或从丩一曰姓也漢有摎氏 丩 𨹡說文相糾繚也一曰瓜瓠結丩起或作𠛪 虯龍類

𦫳說文艸之相丩者 疝腹中急病 璆美玉 繆糾細也或作糾 𠡮赳輕勁皃或从走 切大刀 𠛪

觓角曲皃或从求 鬮鬮取也 𦕢瞅聏視皃 艽秦艽藥艸 ○虯渠幽切說文龍子有角者或作虬文十九 虬𧊄 朻

木下曲 觓觩說文角皃引詩兕觵其觓或作觩毬通作捄 捄長皃 璆球美玉名出崐崘或从求 鷚鳥名似鷚

蟉䖹蟉也 釚弩機 剹剹流環繞也 銶鑿屬 絿急也一曰糾也 穋禾類管子其種穋秬 鏐美金 莍

茱椒實 梂櫟實 ○鏐力幽切黃金美者一曰弩眉文二 蟉䖹蟉蟲名 ○彪悲幽切說文虎文也文四 𢒼

髿垂皃 騳 說文衆馬也 鮃 魚名博雅鱄鮃鮒也 ○淲 滮 皮虬切說文水流皃引詩滮池北流或作淲文四

颩 風皃 瀌 雨雪盛皃詩雨雪瀌瀌徐邈讀 ○繆 士幽切說文枲之十絜也一曰綢繆束也文五 ⿱自彡 細也 ⿱敄糸 縛也

鷚 鳥名爾雅鷚天鸙 橮 木名

二十一 ○侵 千尋切說文漸進也从人又持帚若埽之進又手也一曰五穀不外謂之大侵俗作㑴非是文十八 駸 騡 字林

馬行疾也或从侵 浸 湰 濅 浸淫漸漬或作湰濅 𧯷 幽豆也博雅𧯷謂之豉一曰野豆 ⿰禾侵 鋟 錐也或从金 綅

絳綫也 梫 木名爾雅梫木桂 ⿰亻侵 侌也 𧫴 私語也 僭 侵也詩以籥不僭 祲 祲祥地名春秋盟于祲祥 鈐 鈇也 ⿰目侵

日光 埐 地名 ○心 思林切說文人心土藏在身之中象形博士說以為火藏文六 沁 水名 𦬐 螟食苗心死也 ⿰車心 車鉤心制輈者通作

杺 芯 艸名 杺 木名其心黃一曰車鉤心木 ○祲 咨林切說文精氣感祥引春秋傳見赤黑之祲文二十三 駸 說文馬行疾也引詩

載驟駸駸 綅 說文絳綫也引詩貝冑朱綅 ⿰禾侵 錐也 兓 說文兓兓銳意 磳 小石 璔 石似玉 ⿰皐替 ⿰皐㑴 高皐謂之⿰皐替或从㑴

寖 漸也亦水名 埐 說文地也 梫 木柱 梣 榛 說文青皮木或从寖省 ⿱替隹 ⿱替鳥 漢中呼鷄為⿱替隹或从鳥 嶜



山高大皃 鐕 魚名一說南方謂鮝曰鐕 ⿰羊替 羊䏦 臢 烹也 𥖟 櫼 楔也或从木 僭 僭也詩以籥不僭 ○㝷

尋 徐心切說文繹理也从工口又寸工口亂也又寸分理之彡聲度人之兩臂為尋或省又姓文三十四 綅 續也 襑 衣博大也 撏

取也 鄩 古姓 鐔 說文劍鼻也亦姓 蕁 藫 鼎大上小下𦉢作藫 潯 水名出巴郡 潭 說文𣶒深

也或作 𡎺 潭 地名 隬 小阜也在三輔 鄩 說文周邑也又姓 枔 木葉也 燂 煁 燅 火熱物或作燖𤎫

樳 木名一說以為炭煉生鐵一烹乃熟 撢 修也 鱏 魚名 涔 漬也 鐕 魚名 蕈 菌也 蕁 艸名海蘿也 䈀

竹名長千丈可為大舟 犉 牛名 趠 長也馬𧾷日踔趠枝 蟫 蟫蟫物動皃 橝 盾上竿 璊 石似玉 㜗 女名 ○

鬵 𩰲 才淫切說文大釜也一曰鼎大上小下若甑曰鬵𩰲作𩱟文二十一 鮗 鈐 博雅鮗鮝也一說大魚曰鮝小魚曰鮗或作鈐 嶜

山高也 枔 橬 欑 榛 青皮木名一曰江南樊雞木也其皮入水綠色可解膠益墨或作橬欑榛 灊 水名出巴郡宕渠 埐

地名 䤉 鈂 博雅耕也一曰臿屬或从金 醦 博雅寑醦幽也 岑 岑崟高皃一曰岸也 璔 石似玉 埁 土也 枔 木葉

鐕 魚名 涔 漬也 磳 石門 ○深 㴱 式針切說文水出桂陽南平西入營道一曰邃也又州名古作㴱文五 㝴 說文

集韻平聲四 二十七

二十一○侵

深也一曰竈突 𦽅說文蒲蒻之類 ⿱穴玉爾雅寶也郭璞讀 ○⿰甚見充針切內視也文一 ○斟諸深切說文勺也又姓文十三

鍼鐵針說文所以縫也或从箴从十通作箴 ⿰十斗斟鄩古國名在河南禹後也通作斟 箴說文綴衣箴一曰誡也一曰竹名又姓

瑊石似玉 葴艸名說文馬藍也 鷬鳥名說文鷬鷺也通作箴 鱵魚名 黬晳而有黑 纖刺也禮記其刑罪則纖剸

灊水艸名酸漿也 ○諶時任切說文誠諦也引詩天難諶斯文十三 訦說文燕代東齊謂信曰訦 忱愖說文誠也引詩天命匪忱

或从甚 煁說文烓也 瘎疣方言秦晉之間謂病曰瘎或从冘 湛水名在襄城春秋傳戰于湛阪 ⿰魚朁說文魚名 ⿰酉甚麴熟

⿰臿冘鈂臿屬或从金 橬積柴水中以取魚 ○壬如林切說文位北方也陰極陽生故易曰龍戰于野戰者接也象人裹妊之形一曰佞也文十

五 任說文保也又姓 妊姙孕也或作姙亦書作姙 ⿰言壬信也詉也一曰喉聲謂之⿰言壬 恁博雅思也 銋鈓字林濡也博雅

𢍁也或省 紝⿱任糸機縷也或从任亦書作絍 鵀雂戴勝也或从隹 ⿰言壬念也 𨚢地名也 𡈼貪也 ○森疏簪切說

文木多皃文二十三 槮蔘說文木長皃引詩槮差荇菜或作蔘 曑參𠫭說文商星也或省古作𠫭 篸說文差也一曰

竹長皃 ⿰女參嫸也 傪觀也衆也 薓蓡說文人薓藥艸出上黨或作蓡通作蔘參 襂綝幓襂纚衣裳毛羽垂皃



或作綝幓 𨛰地名 棽木枝扶疎皃 滲漉也 ⿰犭參犬容頭進皃 摻林離摻攦也 罧說文積柴水中以聚魚也 突

深也一說俗謂深黑為窨突一曰竈突也 鬖鬖鬖毛皃 穇禾長皃 ○嵾初簪切嵾嵳山不齊皃或書作⿰山參文十三 篸篸差竹皃

梫木名桂類葉似枇杷而大白華 穇穇禾短曰穇或省 槮𣝭木長皃或从篸 駸馬行疾也 僭侵越也詩以籥不僭

㩆天㩆星名 鬖鬖亂皃 參朁參差不齊古作朁 ○兂簪⿱竹⿱兂兂䖵⿱竹甚篸緇岑切說文首笄也或作

簪𥳑篸古作⿱竹甚文九 ⿰王朁說文石之似玉也 撍疾也通作簪 鬵釜屬 鐕可以綴著物者通作簪 ○岑鋤簪切說文山小而高又

姓文二十 涔說文潰也一曰涔陽渚在郢中 梣博雅栫也 ⿰木鬵橬青皮木或作橬通作梣 笒竹名 ⿰山朁⿰山朁崟高銳皃或書作嶜

⿱雨朁博雅⿱雨甾⿱雨朁霖也一曰雨聲 汵池也 顉槇顉俯首 ⿱山火說文入山之深也 䨺說文霖雨也南陽謂霖䨺 ⿰禾朁禾苗將秀

曰⿰禾朁 ⿰魚岑博雅⿰魚岑鯊鯊也 ⿰魚朁說文魚名 鬵釜屬一曰疾也 ⿰足岑⿰足虎蹟停水也通作涔汵 ⿱罒今罔名 灊水名 ⿰王朁石似玉 ○

碪砧知林切擣繒石或从占文十 鉆鬼谷篇有飛鉆湼鏑 椹枮鍖斫木櫍也或作枮鍖 ⿺走甚坐立不移皃 揕刺也

一曰斫木聲 ⿰甚殳擊也 坫横塗謂之坫 ○琛賝癡林切爾雅寶也或从貝文十 棽說文木枝條棽儷也 ⿰冘見說文私出頭視也

闖馬出門皃一曰出頭皃 踸踸踔無常也 郴說文桂陽縣亦州名 綝說文止也一曰善也 舩說文船行也 諃善言 ○

沈湛持林切說文陵上滈水也一曰濁黕也一曰溺也或作湛俗作沉非是文十三 霃說文久陰也通作沈 鈂鍖說文重屬或从枲

⿱竹冘竹名 ⿱艹冘莐說文艸也生山上葉如韭或从沈 ⿰冘瓦方言甖其小者謂之⿰冘瓦 ⿰牛冘吴牛謂之⿰牛冘通作沈 魫魚子也 枕繫牛

杙也 ⿰酉甚孰麴 ○林犁針切說文平土有叢木曰林又姓文二十一 箖箖箊竹名 臨𦣛說文臨監也一說以尊適卑曰臨亦姓古作𦣛

琳玪說文美玉也古作玪 霖說文雨三日以往 淋⿱林雨說文以水沃也或作⿱林雨 瀶滛濂說文谷也一曰寒也

一曰瀶瀶雨也或省或从兼又書作⿱霖馬 罧積柴水中聚魚也 痳說文疝病也 顲顲頗俯首 岑岑巖山高皃 碄碄碄深皃

⿱宀林室深也 惏惏慄寒也 慊慊縿羽毛皃 ⿰山臨山名 ○⿰言壬尼心切喉聲謂之⿰言壬一曰諗也文七 紝絍⿰糸⿱任⿻織也或作

絍紝 軠紡車 鵀鳥名博雅戴鵀戴勝也 恁思也弱也信也 ○淫夷針切說文侵淫隨理也古通作㸒文二十七 㸒說文近求

也从爪壬壬徼幸也 霪湛久雨為霪或作湛通作淫 婬說文私逸也通作淫 冘佔說文冘冘行皃一曰冘豫未定或作佔 ⿰酉甚

說文孰麴也 ⿸疒㸒疾也 鐔博雅劒珥謂之鐔 撢探也 鄩地名 ⿱竹㸒竹名 ⿱壬火⿰壬⿱壬火方言明也或作⿰壬⿱壬火 鷣

⿰覃隹江南呼鷂為鷣或从隹 鱏說文魚名引傳曰伯牙鼓琴鱏魚出聽 蟫說文魚也 潯寖潯漸也 潭水名在武陵 ⿱穴㸒

⿱穴冘㴱也或作⿱穴冘 ⿺辶㸒過也 ⿰木㸒通水具 ⿰糸㸒久緩皃 ⿱艹㸒艸名 ○愔伊淫切愔愔安和皃文四 窨地室 韾

聲和靖也 ⿰音豆⿰音豆豉豆名 ○音於金切說文聲也生於心有節於外謂之音宮商角徵羽聲金石絲竹匏土革木音也从言含一文十九 陰

陰說文闇也水之南山之北隸作陰亦姓 霒霠雵侌侌說文雲覆日又姓或作霠雵古作侌侌 瘖說文不能

言也 ⿰足音博雅跂謂之⿰足音 喑說文宋齊謂兒泣不止曰喑 韽小聲 蔭艸木蔭翳也 愔安和皃春秋傳祈招之愔愔徐邈讀 闇

默也何休曰高宗涼闇 隌隱闇也 ⿰酉音醉聲 吽牛鳴 窨窨突黑也 ○吟⿰音今訡欦魚音切說文呻也或从音

从言亦作欦文二十二 ⿰口岑⿱艹嚴芩菜名似蒜生水中古作⿱艹嚴芩 魿魚名似鼈 ⿱雨乑霖雨也 乑說文衆立也从三人

⿸厂敢說文崟也一曰地名 碞山石皃一曰僭也 唫說文口急也 嶔兩山相向 玪玉名 崟碒巖嵒

岑⿰口岑⿸厂今說文山之岑崟也或从石亦作巖嵒岑⿰口岑⿸厂今或書作崯岭 ○歆虛金切說文神食氣也文五 廞說文陳輿服於庭也

嬜愛也 歁火盛皃 嶔嶔巇山險皃通作廞 ○欽欽祛音切說文欠皃一曰敬也古作欽文十一 衾說文大被也或書作

岑嶔㠜山高險也公羊傳殽之嶔巖或作㠜通作崟荃荃荃艸名顉頷曲頤也或作頷唫口急也廞崟
廞陳車服以送死也○今居吟切說文是時也文十五金金說文五色金也黃爲之長久薶不生衣百鍊不輕从革不違西
方之行生於土从土左右注象金在土中形又姓亦州名古作金黅博雅黃也紟衿䘳說文衣系也或作衿籀从金襟
襟裣說文交衽也或作襟裣禁勝也制也䌊坐也靲鞮也荃荃荟艸名㦗懃也○琴
珡鑋䥾渠金切說文禁也神農所作洞越練朱五絃周加二絃亦姓古作珡鑋䥾文四十七靲說文鞮也肣地名說文引春秋國
語回祿信於聆遂肣斂也灼龜首仰足肣捦㩒擒扲說文急持衣衿也或从禁从禽从今通作禽鈙鈙說文
持也或从金㶸禁也紟絵衿衣系也或作絵衿岑關人名春秋傳魯有費岑父埁峑說文石地也或从今
黔黑色春秋傳邑中之黔又地名亦姓芩艸名說文黃芩也通作芩黚黔黬黃黑色或从禽从葴芩說文艸也引詩食野
之芩伶伶侏古樂人怜怜惧健了皃䓣艸名生水中根可緣器稖禾欲秀檎林檎果名
禽禽說文走獸總名一說二足而羽謂之禽古作禽鳹鳹雂何喙鳥或从金从隹鉆飛鉆鬼谷篇名邻亭名在重



安凜癝禽禁寒也或从廩从禽从禁㱓苦也螒蟲名軡地名在江南通作黔岑岑崟險也
澿水名○譫天心切譫䛢吐舌皃文一
二十二○覃覃𠧢𠧢𠧢徒南切說文長味也引詩實覃實訏或省古作𠧢𠧢𠧢文四十三
鄿說文國也齊桓公之所滅通作譚譚大也又姓潭說文水出武陵鐔成玉山東入鬱林一說楚人名深曰潭亦州名橝說文屋梠
前也一曰蠶槌一曰木名灰可染蟫衣書中白魚𧾩𧾩𧾩走皃燂說文火熱也鐔劍旁鼻曰鐔𩡝𩡝𩡝香氣
䊤糜和也譚博雅甘也譚甘也醰酒味苦也磹和也醰䏙厚味或作䏙驔馬豪骭曰驔曇雲布
謂之曇壜甔罎墰甒屬或作甔罎墰蕁𧄍艸名說文芫藩也或从爻憛憂意藫苔也爾雅藫石衣
譚譚譚鼓聲婪貪也婪也覘內視瞫視也戡博雅戡盛也眈視近志遠沈沈沈深邃皃通作戡蕈艸名
生淮南平澤可作鹽腩䐶也嘾貪也潭傍深也鷣鳥名嫥女字○貪他含切說文欲物也文八探撢
說文遠取之也或作撢歆欻歛說文欲得也或作欻歛淦水也一曰沒也僋僋儑癡謂之○耽都含切說文耳大垂也引詩士

之耽今俗作躭非是文十五 酖說文樂酒也 媅妉湛愖說文樂也或从冘亦作湛愖 𡖓博雅多也 眈說文視近

而志遠引易虎視眈眈 䁴說文內視也 甔瓬罌也容一石或从冘 戡戡戡室宇深邃皃 䫲緩頰也一曰舉首 沈深也

㖔聲也 ○婪惏盧含切說文貪也杜林說卜者黨相詐驗為婪或作惏亦書作惏文十二 啉聒也一說飲畢曰啉或書作婪 霖

霖久雨或从淋 燣熱也爛也色焦也 顲顲顲俯首皃 嵐山氣一曰岢嵐山名在太原又州名 葻說文艸得風皃 惏

惏㦡鷲鈍皃郭璞說 䠨急行 颿翔風也 ○南𡴎那含切說文艸木至南方有枝任也古作𡴎文二十 男說文丈夫也从田从力言

用力於田也古書作𠡦 枏楠木名爾雅梅枏或从南 抩廣雅持也 䶲䶦龜甲邊也或从甲 萳艸名 諵話語

䛁諵喃博雅䛁諵語也或作諵喃 聃那冄國名或作那冄 䔳艸名博雅蘆葱蘞也 暔國名唐天寶中封其

王為懷寧王 莮萱莮艸名 弇姓也 ○毿蒦含切毛長也文九 鬖鬖鬖髮垂皃 蔘蔘綏垂皃 襂衣垂皃

犙說文三歲牛 糝糝糟糜和也 厰厰厭也或省 謲謲譚怒語 ○參三弎蘇含切謀度也間廁也或

作三古作弎又姓文十二 嵾山皃 謲說文相怒使也 驂說文駕三馬也 趍趍趲走也 傪說文好皃 𡠅婪也 鄝地名

集韻平聲四 三十 春

在鄭 犙牛名 摻摻搓掺也 ○蠶蠺蠶簪祖含切博雅簪謂之鐕或从蠶从參文十一 鐕說文可以綴著物者一曰

釘也一曰綴衣通作撍 撍揆也 䐶脂䐶烹也一曰脣瘍 羬獸名似羊 蹔博雅止也 䃪弓弦謂之䃪 鄑亭名

在貝丘 嬗女字 ○蠺徂含切蟲名說文任絲也俗作蚕非是文七 㨻方言衛魯楊徐荊衡之郊謂取曰㨻 鄑亭名在

播馬 蹭博雅止也 䜺羊臭謂之䜺 嬗女字 ○𡺉呼含切大谷也文二十二 谽谺谽呀谷空皃或省 酣䤾

面赭色或从酉 酓酒味苦也或書作酓 䤾醠博雅䤾醠香也或作䤾 欿欿㰹舍笑也或省亦从咸 哈博雅唵也

寢𥨣寢不䖪衣或省 蛤水蟲名爾雅蛤嬴小者蜬 𠿺吼也 䘖赤色 鵮小鳥飛皃 恰踈縱也 譀愛也

歛欲也一說戲乞曰歛 頷醜皃 ○龕枯含切說文龍皃博雅龕龕受盛也文十七 堪說文地突也一曰任也又姓 㟲山穴

間 戡說文刺也一曰勝也 撖柱也 𢻝𢻝敧不齊 䁍博雅視也 頷醜皃 嵁嵁巖不平 𢧢戡說文殺也引商

書西伯既戡黎或从今古通作戡 磡和也 欿貪惏也 坩瓦器 鵮鳥名 勘能也 㪁意不滿 ○弇龕

姑南切說文蓋也古作𢍉文二十一 㔶監持意 淦汵涻水入舟隙謂之淦一曰水名或从今从舍 䤗䶃鼠屬或从舍 剖

吳人刈不具 雒鳹 鳥名或作鴒 嵗 嵐嵗山名 颫 風也 紟 絲皃 縑 縑佁行不進 肣 肥牛脯 犙 牛三

嵗 諴 嗤也 碱 以石蓋也 磨 和也 䃡 器斂口者 〇 含 胡南切說文嗛也文四十八 圅 說文舌也象形舌體㔾㔾通作肣

函 椷 容也或作椷 肣 䏻 肥牛脯或从含 甋 檐 說文治橐榦或作檐甋一曰似餅有耳 顄 說文頤也通作函

頷 頷 面黃也或作頷 裓 褔 博雅裓褔袖也或从函 霒 霐 說文久雨也或作霐 涵 涵 淦 說文水澤

多也引詩僭始旣涵或从函从今 淦 㴤 湆 淊 淦 涵 方言沈也或作㴤湆淊淦涵 涵 說文寒也 鋡 博雅

鋡甲介鎧也通作函 鋡 方言齊楚謂受曰鋡博雅鋡鑯謂之鑰 马 艸木之華未發 笒 𥫍 篕 笒 笒隋竹實中或作𥫍篕笒

㮗 木垂華實皃 梒 梒桃果名櫻桃也通作含 鼢 鼢 說文鼠屬或从含 蜬 蠃之小者 琀 飯玉 㖤 㖤呥怒氣 鈐

鈦也 馠 馠馠香也 䭙 䭙餔小餅 嵁 嵐嵗山名 晗 欲明也 匳 受物器 涵 潛通水具 娢 女字 雒 鳥名 〇

諳 諵 誵 鳥含切說文悉也一曰諷也或作諵亦从弇文四十二 韽 䳺 鶕 鵪 雒 鳥名說文雒屬或从

鳥亦作鴿鶕鶕雒 媕 婾 女有心媕婾或从畬 䛳 敢也 唵 啼泣無聲謂之唵一曰大呼 韽 說文下徹聲 䤷 㰹



博雅䤷䤷香也或从禾 盦 覆蓋也 腤 𦞦 烹也或从弇 韽 䪩 屬 㡋 䄋 博雅㡋䄋囊也或从衣 錇 溫器

庵 菴 圜屋曰庵或从艸 闇 陰 洽喪廬也禮高宗諒闇三年不言或作陰 婪 貪也 䔬 野艸 埯 坑 葊 小

葊 䕼蕳艸名或作葊 痷 痷婪泛意也 韽 聲小也 醅 醅醄謂之醅 磬 聲和也 婄 女志不靜 盦 器口斂 㰹

掩 木名或省 諵 諳 諵何語不決或作諳通作弇 〇 諺 偐 吾含切不慧也或作偐文八 諴 嗤也 嶮 嶃 齒嶃

嵁崾山皃 𠻤 㟏 𠻤聲列子眠中𠻤藝呷呼或作㟏 巖 山厓也 〇 沈 長含切沈沈宮室深邃皃文一 〇 頷 常含切藝頷俯首皃

文一 〇 綅 充含切衣鮮色文一

二十三 〇 談 徒甘切說文語也亦姓文二十三 郯 說文東海縣帝少昊之後所封亦姓 惔 說文憂也引詩憂心如惔

倓 倒 說文安也或从剡 憺 恬也 痰 病液也 餤 進也 淡 澹 水皃或作澹 㶣 小熱也 錟 說文長矛

也 䭙 馬䭙也所以撥馬一曰飼莨 炎 美辯也莊子大言炎炎 菼 菼薕瓜菹 𥧌 窞𥧌薄也 顃 面長也 䆂

寐不解衣 儋 姓也通作澹 啖 啗啖少味 醈 酒醋薄也 燂 爐也 婒 女字 〇 甜 他甘切甜舌皃文十七 聃

集韻 平聲四　三十二

二十三○談

○沈

○頷

[illegible]

耼說文耳曼也或从甘俗作聃非是 坍𣲙水壞岸也或作𣲙 𣲙𣴘涌𣲙峻波皃或作𣴘 𥨍籃𥨍薄而大也 緂說文

衣白鮮也 𦰩艸名蒽也 錟錟鏦矛也 䏙膚肉壞 菼菼藍瓜菹 倓𠍜安也或从剡 惔憂也 𢪃說文并持

也 ○儋擔都甘切說文何也或从手文十二 噡噡噡頌語 聸說文垂耳也南方有聸耳國通作儋 甔罃也方言齊東北海

岱之間謂之甔通作儋 聃耼耳曼也或从甘 襜澹蹛胡名史記李牧破殺匈奴滅襜襤或作澹蹛 𦅾緩也 薝

薝棘艸名 ○藍盧甘切說文染青艸也亦姓文二十五 𧅬說文瓜菹也一曰水清 籃說文大篝也古作𥲍 㦨嚂

貪㦨嗜也或从口 儖儖儳皃惡 𩈽監𩈽長面皃 𩮚說文髮長也 擥取也 爁火延皃 襤繿衣名說文裯謂

之襤或从糸 𧟎說文楚謂無緣衣 𥨊𥨊窽遍薄也 璼王名 濫邑名在郯 𠟄聚也 切 厱礛礛說文

厱諸治玉石或作礛亦省 𪇆𪆂鳥名郭公也 襤襜襤北胡別名 艦艦艫身長皃 嚂女名 ○三弎蘇甘切說文天

地人之道也从三數古作弎文七 叄博雅參三也 㣌毵衣破或从彡 鬖𩬊鬖獸毛垂皃 毵毵縿垂也 ○慙財甘切說

文媿也或書作慚文十 𢷕說文暫也或書作摲 暫須臾也 𨂜往也 𩈥監𩈥長面皃 鏨鏨也 𪄻𩀞鳥名









博雅鷙𪄻鷹也或从隹 𡤮女名 𨈖艦𨈖身長 ○蚶魽呼甘切蚶屬魁陸也橫縱其理五味自充炮則蓋或从魚文八 䝿戲乞

也通作欿 𡞠貪也愛也 憨儑坎愚也或作儑坎 欿博雅欲也 ○坩甌枯甘切土器也或从瓦文二 甘

𠔀𠮱沽三切說文美也从口含一一道也古作𠔀文十八 𪎮說文和也从甘从麻麻調也 𢘋心伏也通作甘 泔粓說文

周謂潘曰泔或从米 𩚵餌也 柑果名似橘 疳病也 筸竹名 姏老女稱 𡠷媞也 㟛山名 苷說文甘艸也

𤮻南万山有𤮻𧊵林東方朔說通作甘 蜬蚶蠃之小者或作蚶 ○玵五甘切美玉也文四 䨢霜也 鉗刃也 雂闕人

名春秋傳有公子苦雂 ○酣佄胡甘切說文酒樂也或省亦作佄文十四 麐和也 邯邯鄲縣名亦姓 𨝚𣢖

方言𨝚或也沅澧之間凡言或如此者曰𨝚如是一曰𨝚湖不定也或作𣢖 𤈦炶𤌰火上行或作炶𤌰 甝獸名爾雅甝白虎 魽

蚶蛤也或从虫 𧓃桑葉上蟲 ○𩈥作三切面長皃文一 ○姏謨甘切老女自稱文二 聁耳垂 ○緂充甘切女

衣文一 ○笘七甘切竹箠文一 ○𧗳與甘切行也文一 ○黚鄔甘切深隱也文二 喑喑啖少味 ○耼乃甘切闕人名

古有祝聃文三 詌多言 妠入取也 ○𠞩市甘切搖馬具文一 ○蚺汝甘切大蛇名出嶺表文六 𧧻詌邯縣名 餂

相謂食 𩓎 須也 冄𪚿 龜甲邊或从黽
二十四○鹽𪉟盬壛 余廉切說文鹹也古者宿沙初作煑海鹽或省亦从土俗作塩非是文三十四 餤
進也 檐櫩欕簷𤗊𠂊 說文㮰也或从閻从櫩亦作簷𤗊𠂊 𣡽 木名膠可作香 閻 說文閻謂之樀樀廟門也
通作檐 䌳 續也 閻壛 說文里中門亦姓或从土 𢡧 惶遽也 彳占 徐行也 阽 說文壁危也 爓 說文火門也
濶瀸 說文海岱之間謂相汙為濶一曰水進或作瀸 襜 衣蔽也 𤺺 博雅傷創也 䈐 竹病不可析筤 鳽 博雅鳽離
怪鳥屬 覃 利也詩以我覃耜徐邈說 讇 過恭也禮立容辨卑毋讇 頫 面長也 㾾 方言病也 棪 木名 𪗿 味甘 䆷
禾也 𡣐 女字 嬚 嬚㜮火不絕皃 ○懕猒厭 於鹽切說文安也引詩懕懕夜飲或作懕猒文十二 猒猒饜
說文飽也或从自亦作饜 嬮 說文好也 俺 俺憸多意氣皃 嬐 博雅美也一曰含怒皃 稽 稽稽苗齊等也 餤 進也 憛
博雅悇憛懷憂也 ●銛錟 思廉切說文鍤屬一曰利也或作錟文三十六 穢 穢穢艸不實 韱䪜 艸名說文山韭也或
作韱 纖 說文細也通作韱 綅綅 繒名白經黑緯一曰綫也或作綅 嬐 說文敏疾也一曰莊敬皃 孅 說文兌細也 襳

大百卅 小六百六十

集韻平聲四

三十四

玉

小襦 摻攕 摻摻女好手皃或作攕 譣 說文問也引周書勿以譣人 憸 說文憸詖也憸利於上佞人也通作懸 懸懸
說文疾利口也引商書相時懸民或作懸 彡 鬣飾謂之彡 鬖 鬖也 暹 日光外也 䨮𩃴 微雨或省 枮 說文木也 瀸
艸名百足也 熸 盡也 瀸 爾雅泉一見一否為瀸 炶 木名似松可為船及作柱埋之不腐郭璞說 釤 刀名 獫 獸名 玁
粉餌 𣯶 毛也 膸 腌也 攕 抑也 韊 幓縿 旌旗末也或作幓縿 ○籤揃 千廉切說文驗也一曰銳也貫也或
作揃文十七 簽 博雅簽籯籠也 僉 說文皆也引虞書僉曰伯夷 憸 博雅彊也一曰詖也 鋟鑯 刻也春秋傳鋟其板或作
鑯 槧 削牘也 臉𦢊 埤倉腌也或从韱 釗 切也 憸 被也 鹼 鹽在水曰鹼 孅 巧佞也史記孅趨而言 懺
摽識也 鐱 垂也 譣 議也 ○㦰 将廉切說文絕也一曰田器文二十五 殲殱 說文微盡也引春秋傳齊人殲于遂古作殱
鑯 說文鐵器也一曰鑴也 鋟尖 博雅銳也或作尖 瀸 說文引爾雅泉一見一否為瀸一曰洽也 漸 流入也 𩃎𩃎
說文小雨也或从水 嚵 嚵歃不廉 懺攕 說文拭也或从手 攕 說文楔也 熸 吳楚謂火滅為熸 蘄 蘄蘄麥秀 䪜
艸名百足也 湛 漬也禮湛饎必絜通作漸 𩅰𩆂 說文微雨也或从韱 纖 刺也 韱 艸名山韭也 鋑𣩱鑴

錐也或作稜鐫○錟鋟𨥈爓䵩燂燂煔徐廉切說文於湯中爚肉或作錟𨥈爓䵩燂燂煔文十六
𢷾𢹽撏摘也或从艸从尋亦書作𣟄𣟄木名細葉𢄔博雅㡓帖巾也閻鬼閻地名在潁川㵌方言涔也
𦸬菜名生山中○潛澘慈鹽切說文涉水也一曰藏也一曰漢水為潛亦姓或作澘通作涔文二十二灊縣名在廬江通作灊
灊說文水出巴郡宕渠西南入江朁於朁縣名在丹陽鬵𩱦爾雅䰝謂之鬵古从弜箈說文蔽絮簣也䁮閉目內思
也燂博雅煩也一曰炙爛熸火滅蟳蟳蠌蟲名一曰蟳胡似玃𦢊㿝肉也燂爓煔沈肉於湯也或作爓煔
涔橬博雅㵎涔㳬也或作橬通作潛𦵝艸名五原之韭曰𦵝撍摘也𦟛羊腊𡺧𡺧嵒山皃○纖師炎切纖
纚毛衣皃文八攕摻說文好手皃或作摻幓縿䘥旗正幅為幓或从糸亦作䘥䨮微雨𣲏瀲𣲏波皃○苫
詩廉切說文蓋也亦姓文六笘說文折竹箠也潁川人名小兒所書寫為笘痁說文有熱瘧引春秋傳齊侯疥遂痁柹木名姿婬姿
喜皃蔆說文喪藉也通作苫○襜𧜕褡䘰處占切說文衣蔽前一曰襌襦謂之襜或从韋亦作褡䘰文二十五幨
裧幨𢅠車幨山東謂之裳幃一曰幢容或作裧幨𢅠䄡袩㸃衣動皃或作袩㸃通作襜裧說文白鮮衣皃姑
小弱也一曰女輕薄皃姈姈婁喜笑皃沾怗苫音敝不和或作怗苫亦書作怗俗作惉非是㾃痕說文皮剝也或作痕
沾沾沾自整頓也鉆鉆鉼多也𨆌馬急行詀多言笘小兒書簡一曰折竹箠譫譫詀吐舌皃○詹之廉
切說文多言也一曰至也亦姓俗作詹非是文十六瞻說文臨視也占說文視兆問也亦姓沾沾沾輕薄也产仰也一曰屋梠秦謂
之㮯齊謂之产蛅蟲名說文蛅斯墨也蟾蟲名爾雅鼁鼀蟾諸似蝦蟆居陸地𡾏山峯也劗削也黵闕人名魯有曾黵齊有鮑
黵譫疾而寐語也䀡目垂也𧃻木名山海經爾谷之山多𧃻棘鸇鳥名山海經女祭山有鸇其色青黃譫噡
多言或从口○棎㯙時占切果名似柰而酢或从突文八撏探取也或作探蟾蟾諸蟲名橬積柴水中取魚也
誗言不實○謆寐也○顩䫲頩毶氍如占切說文頰須也或从髟亦作頩毶氍文二十三冄𣬛冄冄毛皃
古作𠕉呥呥呥自安皃一曰噍皃𦐍䛁䜛䛁長皃一曰吐舌詽說文詽詽多語也樂浪有詽邯縣拼博雅持也姌弱長皃
㾃皮剝謂之㾃衻袡博雅襌衻蔽厀也一曰衣下襈或从糸枏木名說文梅也𪚲䑙說文龜甲邊也天子巨𪚲尺有
二寸諸侯尺大夫八寸士六寸或从甲蚺說文大蛇可食蛅蛅蟴蟲名通作蚺𢓨遲行也𡖐鉆𡖐多也𩛡楚謂相謁食麥

大口八六　小七〇

爲䄼○霑知廉切說文雨霑也通作沾文四鉆鬼谷篇有飛鉆湼闇感衮說沾水名黏黃色○覘佔沾

䀡𤸱廉切闚也或作佔沾䀡文十二髻博雅髻也惉惉懘樂音不和或書作怗鉆說文鐵銸也一曰膏車鐵鉆剡說文搔馬

也銛銳也婆說文妗也一曰妗婆喜笑皃剡剡物使薄閊小開門以候望也○炎持廉切說文小熱也引詩憂心炎炎文四

詡言利美也黚䵲黃色或从炎○廉離鹽切說文仄也一曰自檢也又姓亦州名古作㢘㯬𠪚文四

十七稴䆂稴纖艸不實或从廉㾾臞疾㡘𢅬說文帷也或从廉帘酒家幟轍車輞籢匳

匳奩籨說文鏡籢也或作匳匲奩籨覝說文察視也鎌說文鍥也一曰廉潔也鎌鐮說文鍥也或从廉

熑𤒉說文火煣車輞絕也引周禮煣牙外不熑一曰火不絕皃或作𤒉裣裣襜衣垂皃𪔃𪔮搛擊鼓謂之𪔃或从壴

从手磏說文𥓋石一曰赤色嬚女字䨘說文久雨也賺賺博雅賣也或省薟白薟艸蘞艸名似栝樓一

曰蔓溓說文薄水也一曰中絕小水也獫爾雅犬長喙蠊說文海蟲也長寸而白可食一曰蚰名斂斂盂地名螊

蜚螊蟲名𤬖博雅水芝瓜也輕小能飛其子謂之𤬖簾說文堂簾也薕艸名說文蒹也一曰薕薕味酸可食一曰薑也鬑說文鬋也

一曰長皃臁脛廉也𦇧縿也劆輕刺也謙謙詀言不正槏艸木疎皃○黏粘溓尼占切說文相

箸也或从米亦作溓文九䭇方言陳楚之外相謁而飧曰䭇䴻青䴻藥艸也節也華佗說鮎魚名秥禾也𢙘心有所著袡

蔽膝○炎于廉切說文火光上也文三惔憂也詩憂心如惔䳒廣雅䳒離怪鳥屬○淹衣廉切說文水出越嶲徼外東入若

水一曰漬也留也文十九醃博雅醃藍菹也腌漬肉也䣍小聲也㤿愛也㛪女皃閹說文豎也宮中奄閽閉門者殗

殜也𨚗邑名崦𡸌𡾏山名山海經鳥鼠同穴山西南曰崦嵫或从弇从龠菴葊菴閭艸名古作葊厭溼意詩厭

浥行露沈重讀弇弇中隘道硽石名䛳䛳消克當也一曰拏也䅖䅖䅖禾苗美也○㦓丘廉切㦓倚意不安皃文九

鈐曲頭鑒嶔𡾋嵰山高峻皃或从广亦作嵰䫡顩顩醜皃杴㰋泄水器或从奩𢋴吳人謂盛衣櫝曰𢋴

○黚紀炎切水名南至鼈邑入江在犍爲文二𢓍𢓍徇行不正○鹻牛廉切齒差也文九噞𩺓噞喁魚口動皃或从魚

𡽗山名膁美也顩𩕡顩醜皃嶮嵰嶮山皃㘙呻也巗礹巗山皃○鍼巨鹽切鈂也文一○箝

箝其淹切說文籋也或作箝文三十三拑𢻈說文脅持也或从攵扲博雅䧧扲專職業也靲鞮也鉗鉆說文以鐵

世安

有所刼束也或作鉆鈐說文鈐鏅大犂也一曰類梠聆地名國語回祿信於聆隧鍼葴闕人名春秋傳秦有鍼虎或作葴
怜絟布帛名或作絟怜怜惧心急也黔說文黎也秦謂民為黔首謂黑色也周謂之黎民引易為黔喙伶伶侏古樂人
黚說文淺黃黑也羬麙羊六尺為羬或从鹿芩艸名岒山名蚙蝦蟹距也雂鳹說文鳥也春秋傳有
公子苦雂或从鳥衿紟衣系也或作紟軨軨中地名通作黔柑以木銜馬口也春秋傳柑馬而秣之𩬊去髮著鉗之刑
玪玉名厱石地䅐禾名○砭砨悲廉切說文以石刺病也或作砨文三楓木名似白楊○狎箳蒲瞻
切闕人名楚有史狎或作箳文四温方言梏也柉木名○姂火占切說文姿姈也一曰喜笑皃文十痰㾾物毒喉中病或从兼
薟辛味一曰薟稀藥艸馦䁠香也或省黬黃色欦㰹貪欲或从咸廞口開也
二十五○沾他兼切說文水出壺關東入淇一曰沾益也文十一添益也通作沾黇說文白黃色也𦁄罽也
酟和也譫䜁譫䜁吐舌皃或作䜁詀方言謰謱拏也南楚謂之詀謕呫嘗也婖女字苫青苫藥艸○䯠
丁兼切䯠鬑髮疎文十二敁玷敁掇以手稱物或作玷佔佔佰下垂也一曰疲劇詀詀謕巧言袩衣衽也方言禃謂之袩
大一マ二十六
小六マ九十三





帆䘸領耑或从衣聑說文小垂耳也䀡竊視也一曰目垂皃䶍鼸䶍鼻垂䩇䩇䩞面陋○甜餂徒兼切說
文美也从甘从舌舌知甘者或从食文八恬說文安也湉澶湉安流皃菾菜名治病熱萿藥艸胋䑙肥也或作䑙
○鬑勒兼切說文鬋也一曰長皃一曰鬑鬑髮垂文十二䅠禾黍疎皃稴說文稻不黏者熑燫火不絕也或从廉聺
聺貼耳垂鼸鼸鼾鼻垂𢒝小也濂溓中絕小水或省磏礪石檶艸木疎皃○鮎奴兼切魚名說文鰋也文三
䬯說文相謁食麥也拈說文𢱭也○馦䭠馨兼切博雅馦䭠香也或省文九㾾蟲瘍也妗說文婆妗也一
曰喜笑皃薟辛毒之味䵛說文赤黃也一曰輕易人䵛姁也廞口開也欦博雅歛欦欲也㾾喉病○謙嗛
苦兼切說文敬也或从口文七慊意不足歉歉苦艱也㰸持意堅固謂之㰸一曰口開熑燥輞也𢧕戈屬○兼
兼堅嫌切說文并也从又持秝兼持二禾秉持一禾亦姓古从二秉文十二縑說文并絲繒也鶼鳥名比翼也稴𥻝稻不黏者
一曰青稻白米或从米蒹說文雚之未秀者䍠絲網曰䍠鰜說文魚也𨓝𨓝佖行不正搛夾持也㾾喉病○
嫌賢兼切說文不平於心也文六慊兼說文疑也或省通作嫌稴𥻝稻名或从米鰜魚名○湼其兼切鬼

二十五沾

谷篇有飛鈷涅闇劉昌宗説文一〇鬖斯兼切鬖垂皃文二攕拈攕手稱物

二十六〇嚴𠶷魚杴切説文教命急也古作𠶷亦姓文十一[illegible]艸名[illegible]厂説文雉射所蔽者也或省

巖[illegible]嶔巖險也或省[illegible][illegible]巖凝寒也孍女字喦嶜喦山皃[illegible]字林水中野韭〇[illegible]虛嚴切博雅被也文十二

杴[illegible]欦鍫屬或作[illegible]欦稴禾傷肥[illegible]𤻮味毒喉中或从兼[illegible]艸味辛毒燅字林燅爚熱也[illegible]

豨薟艸名一曰天名精[illegible][illegible]欦也或从欠〇欦丘嚴切説文含笑也一曰多智也文七[illegible]鍫屬刃曲[illegible]山穴閒

嵁嵁巖不平[illegible]欲也[illegible]𡾰攙地穴也〇醃於嚴切漬藏物也文四腌漬肉[illegible]刑也淹久也〇

黔其嚴切黃黑色易艮為黔喙文三鉗鐵束[illegible]鈙敢不齊〇[illegible]居嚴切黃黑色文一〇[illegible]之嚴切仰也一曰屋梠文一

〇[illegible]直嚴切言美利也文一〇氾扶嚴切水名文一

二十七〇咸胡讒切説文皆也悉也从口从戌戌悉也亦姓文二十四諴説文和也引周書丕能諴于小民鹹説文銜也

北方味也俗从酉非是函[illegible][illegible]匱也杯也或作[illegible][illegible]一曰木名亦姓崡山名在肴陵輱車聲麙羬説文

 佺

山羊而大者細角或从羊[illegible]驢縣名通作咸鰜鱤魚名或从咸蠊蝛海蟲或作蝛稴[illegible]稻不黏者或从米

涵同也詩僭始既涵鄭康成讀葴艸名爾雅葴馬藍今冬藍也瑊瑊玏石次玉者[illegible][illegible]疾飛也椷趙魏謂杯曰椷

鼓聲[illegible]口持不齧〇[illegible]欦虛咸切含笑也或从今文十一妗女輕薄皃通作欦酟酟酓小頭醶鹵味

蝛蠊蛤屬或从兼喊呵也谽谺谽谺谷空皃或作谽麙羊絕有力〇鵮丘咸切鳥啄物[illegible]

也或作[illegible]歁意不滿嵁嵁巖不平[illegible]山穴閒[illegible]頭頰長也輱車聲[illegible]牛馬脅後髆前[illegible]顩顩醜皃

〇緘居咸切説文束篋也文十八[illegible]喊説文監持意口閉也或从口玪瑊説文玪塾石之次玉者或从咸椷説文

篋也一曰栝也[illegible]塗也[illegible]鹹正也[illegible][illegible]説文不鹹[illegible]説文雖皙而黑古人名[illegible]字皙一日釜匠黑或作[illegible]咸棺傍所以

繫紼者齊人謂棺束為咸禮大夫𡩧以咸通作緘[illegible]説文齧也[illegible]説文黃黑也輱車聲[illegible]雚未秀者葴艸名藍屬[illegible]

魚名〇猪於咸切説文竇中犬聲文四淊没也黯深黑色揞方言揜藏也荊楚曰揞〇嵒魚咸切説文山巖也文十三

諵諴戲言一日和也或作諴喦説文嚚喦也引周書畏于民喦孔安國曰僭也取參差不齊之意[illegible]説文頭頰長也[illegible]鹵高

皃䶢髗䶢骨高皃黬黑色虥雄虎絕有力者羬麙羬羊其大者羬麙與或作麙㺂羊牝謂之㺂鹻齒差也

○攕摻揱掔師咸切說文好手皃引詩攕攕女手或作摻揱掔文十七𢶏芟也禮有𢶏而播櫼木名䨿霴

雿細雨謂之䨿或作霴雿毵毛長皃鬖鬖髟鬖垂㣌犬容頭進也釤闕人名晉有沙釤樓國帥釤加𥇤彡

暫見也或省嘇哈嘇物在口中轞車聲槮木名○讒鋤咸切說文譖也文二十五儳說文儳互不齊也嚵說文

小啐也一曰喙也纔說文帛雀頭色一曰微黑色如紺纔淺也饞貪食也齽齽䶩齒高巉高鼻攙刺也韂馬韂也

鏨鑿屬酁說文宋地也瀺瀺灂水落皃毚猭說文狡兔也兔之駿者或从犬霯小雨𧓏獑𧓏獑獸名

似猨或从虫鼸博雅鼠名腰黑黲刊書謬也鑱鑱鑱銳進皃蔪麥秀也儳吝也歁笑也艬艬艦身長𠞰

刺也○詀知咸切南楚謂謰謱曰詀諵文六酟酟醶小頭站𧻎坐立不動皃或从走𪉣鹹也鴲鳥啄物○諵

喃婻尼咸切詀諵語聲或作喃東晳作婻文四淰水濁○菱工咸切博雅葴也文一○鳹才咸切魚名文一○

𢓜弋咸切徐行也文一○㦗湛咸切不安也文一○尖壯咸切銳也文二劗刺也





世安

二十八○銜行乎監切說文馬勒口中从金从行銜行馬者也或省文十一諴誕也調也甗瓦施屋也

蝛蟲名食瓜者嗛咁說文口有所銜也或作咁蘅艸名嵌嵌嵒深谷䤬䤬酟小頭溓漬水沾物○監

䛴譼居銜切說文臨下也古从言或作䛴文十䁪說文視也通作監鑑鑑諸可以取明水於月或書作鑒䐋䐋切也

礛𥕝礛磛礪也或作𥕝璼玉名𤭦大甕○嵌嵰嶔廞丘銜切嵌嵒巖山皃或从兼亦作嶔廞文七

䶪髗䶪骨高皃嵌山穴間蘅艸名菜蜀○巖嵒巗險魚銜切說文岸也一曰險也或省亦作險文九鹻說文

齒差也䶨䶩齒高也礹說文石山也巖嵒說文岬也或从巖巗穴也○衫師銜切小襦通作衫文二十四

縿幓纖襂襳說文旌旗之游也一曰正幅或作幓纖襂襳通作韏衫䩨穀馬鞘垂皃或作轂彡說文毛飾

畫文也髟髟髟長髮檆䊮杉說文木也或省亦作杉芟𦻊說文刈艸也或作𦻊纔帛青色穇穇穇禾穗

不實犙牛三歲名雹霴細雨謂之雹或从戔剗刈也漢有剗胡子𥟐禾肥曰𥟐槮森槮禾長皃猣犬容

頭進也○攙初銜切爾雅彗星為攙槍通作攙文十攙博雅銳也一曰刺也毚兔辰星別名或省䫲鑱頭皃䶨

也頑逆○林𧀰 穇通作糝文十 衫簪切爾雅墨星爲 𢾅 一曰刺也 博雅說也 𡰊 各戈首 星則 顉 頭貌 𩕄顉 𨖾

不實貌 槮 疲劣 牛三 霎 霎或从皮 細雨謂之 𦐇 鉤以刈也 有 菻 曰木 蔪 貌 森林木 槮 長木 容大

也書文 鬖 髮長 𩬊 長髮 杉 木也 亦作 說文木 𣹗 說文 蔪 也或作 𦐇 𩳆 也 喦 長青 槮 木槮 謙

毿 䃢 𢾅 或作 說文 作 𦐇 通 一曰 兵旃 或作 毛布 說文 也

也 巖 巖 嵒 嵒 高貌 山 說文 石 岩 巖 巖 或 說文 从 山 也 穴 ○ 衫 作 衫 文二十四

巖 嵒 巖 巖 音 嵒 山 穴 銜 嵒 ○ 巖 巖 險 也 或 亦作 險 文九 一曰 嵰 說文

嵒 嵒 嵒 嵒 作 𡾊 也 聖 王 大 ○ 𡽱 嵰 山 安 廣 以 兼 亦作 𡾊

誼 言 古 以 言 或 作 文 十 監 說文 臨 下 也 鑑 監 月 或 書 作 可 以 取 明 水 也 𣎴 坊

甚 咁 口 各 名 食 嗛 咁 說文 口 有 所 也 衘 山 㟪 嵌 口 僉 㘅 小 酺 嗛 謙 嵌 ○ 嵒

二十八○銜 行 也 衘 銜 馬 勒 口 中 从 金 从 行 文 十 一 讝 調 也 嫌 𡜁 凡 海





𡙇 㚋 文 大 或 从 弓 也 作 文 一 ○ 𩑈 安 也 或 作 文 一 ○ 欠 也 或 从 文 二 𠜾 也 刺 也

嫡 𡛟 作 𡟊 或 作 嫡 文 四 㳿 木 ○ 芟 艸 也 文 一 ○ 𩑈 各 文 一 ○

也 刺 ○ 詁 叧 口 切 說 文 六 諵 頭 小 詁 𡽸 㖠 也 𨁻 ○ 諵

以 旅 秋 或 𩓯 各 嘽 黑 𩅡 也 書 嶄 進 𡾭 嵒 𡾭 也 廣 𡾭 𧼁

𪒴 㜊 也 說 文 嵐 落 貌 𡾭 嶄 嵒 大 也 𢾅 樊 小 樵

曰 嵒 小 嵒 也 一 嵒 嵒 說 文 鳥 𡽱 食 甫 一 曰 𡽱 𡽱 𡽱 曺 高 嵒 嵒 也 𡽱

或 嵒 見 嵒 也 嵒 在 口 中 嵐 嵒 柵 木 ○ 嵒 也 或 文 二 十 五 嵒 嵒 說 文 嵒

霎 或 作 霎 細 雨 謂 之 霎 毵 毛 長 嵒 嵒 毵 大 各 頂 𨥪 嵒 嵒 加 嵒 嵒 有 嵒 嵒

○ 攕 摻 嵒 手 纖 文 手 好 手 貌 好 手 衫 也 櫼 杉 也 攕 各 木 霎 霎

貌 嵒 高 嵒 嵒 嵒 嵒 嵒 有 力 嵒 嵒 嵒 𡽱 衣 羊 其 大 嵒 攕 羊 嵒 嵒 也

鼠名黑耳白腰者 嚵讒言也 勦抄也 𪒠𪒿𪒠少也 纔帛紺色 ○嶃嶄漸鋤銜切巉巗高也或作嶄漸亦書作嶄文十五 䃗說文礹石也或書作嶃 鑱鋑說文銳也一曰犁鐵或从岑 劖說文斷也一曰剽也劍也 艬博雅艄艬舟也

欃槧爾雅彗星為欃槍一曰木名或省 𨻶地名 獑犬聲 蠶蟹屬 䤘面長醜皃 儳儳互不齊 ○獑在銜切獸名獑猢類猿而白腰以前黑文三 岑䗁跡水也 纔帛雀頭色 ○䠀皮咸切涉也或書作䟃足文三 淊行淖中也 㴸徒涉也 ○鑑力銜切鑑顩頭皃文三 𪒠𪒠𪒿少也 鬑鬑𩯭髟長皃 ○𩕢而銜切頰須也莊子黑色而𩕢文三 冄

毿毛長皃古作毵 ○漸側銜切流皃楚辭涕漸漸兮文三 巉𪙺高皃 覱避也 ○讝女監切病人自語也文一

二十九 ○凡符咸切說文最括也从二二偶也从乃乃古及字亦姓文十七 伂博雅伂傀輕也 盄盆盞𥂗博雅杯也或作盄盞亦省 帆颿舟上幔所以汎風或作颿通作騆 舤𣛗博雅舤謂之艬或作𣛗 氾水名一曰地名在鄭亦姓 杋木名皮可為索 渢渢渢中庸之聲 颿馺說文馬疾步也或从凡 邩地名 杋木名俗呼此木皮曰木稃 ○芝甫凡切說文艸浮水中皃文八 盄盂也 凮風也 杋楓木名或从風 氾水名 詋言急也 渷深也 ○頷領顩







顩丘凡切頷頤醜皃或作領顩頤文十 欿欲也 鋑鑿屬曲刃 鈙鈙敔不齊 㰹庡㰹也或从欠 欽多智也含笑也

○炎于凡切火光上也文一 ○琝亡凡切玉名文一

# 集韻卷之四

○炎 丘凡切 文一 ○芝 ...

集韻卷之四

五福五代
堂古稀
天子寶

八徵
耄念
之寶

太上
皇帝
之寶

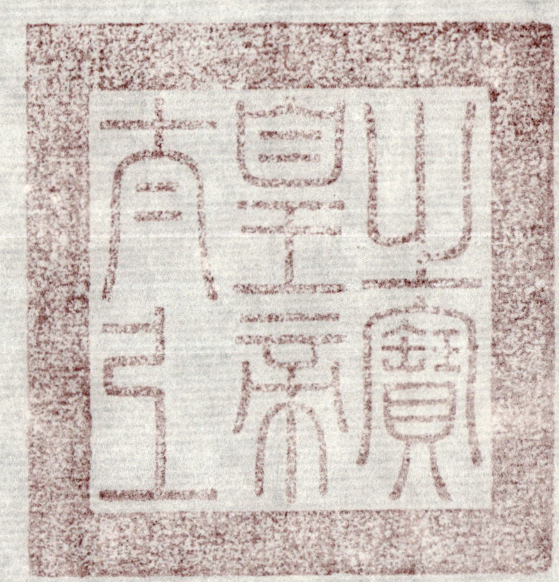